Llwybrau Llên

Gwerthfawrogi Llenyddiaeth a Barddoniaeth

Llwybrau Llên

Gwerthfawrogi Llenyddiaeth
a Barddoniaeth

Emyr Llywelyn

ylLolfa

Comisiynwyd y pecyn gyda chymorth ariannol
Awdurdod Cymwysterau, Cwricwlwm ac Asesu Cymru

Llun y clawr: Mary Lloyd Jones
Cynllun y clawr a dylunio: Dafydd Saer

Rhif Llyfr Safonol Rhyngwladol: 0 86243 781 4

Argraffwyd a chyhoeddwyd yng Nghymru gan
Y Lolfa Cyf., Talybont, Ceredigion SA24 5AP
e-bost ylolfa@ylolfa.com
y we www.ylolfa.com
ffôn (01970) 832304
ffacs (01970) 832782

Cynnwys

Rhyddiaith 91

Llwybrau Llên

Cyflwyniad

Lluniwyd y llyfr hwn gyda'r bwriad o gynorthwyo disgyblion ysgolion uwchradd i werthfawrogi llenyddiaeth. Rwy'n gobeithio hefyd y bydd y gyfrol hon yn werthfawr i oedolion sy'n dymuno gwerthfawrogi neu ysgrifennu barddoniaeth a rhyddiaith. Rhag i'r beirdd cyfoes ddigio am nad oes dyfyniadau o'u gwaith wedi'u cynnwys, rhaid esbonio bod hyn yn fwriadol. Gan fod pwyslais ar ddarllen estynedig yn yr Arholiad Uwch, ein gobaith yw y bydd y disgyblion yn troi at feirdd cyfoes wrth chwilio am enghreifftiau i'w cynnwys yn eu *Llyfr Lloffion Llên*. Cofier hefyd bod gwaith beirdd cyfoes yn gloddfa i'r rhai sy'n llunio papurau arholiad!

Gwneud yr ymarferion

Mae efelychu'n rhan bwysig o bob creu ac mae'r adrannau ymarfer creadigol sy'n gosod tasgau creadigol yr un mor bwysig â'r testun ei hun. Rhaid i'r disgybl efelychu patrwm sy'n cael ei gyflwyno iddo cyn meistroli a deall y patrwm hwnnw.

Gobeithio y bydd disgyblion yn cael hwyl fawr wrth greu eu barddoniaeth a'u rhyddiaith eu hunain.

Cadw Llyfr Lloffion Llên

Un ffordd o ddysgu gwerthfawrogi barddoniaeth yw trwy gasglu ac astudio'r enghreifftiau gorau o'r grefft honno. Awgrymwn eu bod yn gwneud casgliad yn eu *Llyfr Lloffion Llên* o eitemau megis y canlynol:

- Geiriau sy'n swyno. Gall fod yn un gair "*Llwybreiddiodd* ei ryfeddod prin," neu gall fod yn gyfuniad cofiadwy o eiriau "*mudandod tragwyddol y marw*".
- Llinellau/cwpledi cofiadwy o farddoniaeth.
- Penillion cofiadwy.
- Dyfeisiau llenyddol gwerth eu cofnodi.
- Hoff gerddi i'w darllen yn uchel a'u dysgu ar y cof, gan nodi prif themâu'r cerddi hynny.

Yn yr un modd gyda rhyddiaith – rhaid casglu a chopïo:

- Brawddegau cofiadwy, neu drawiadol, neu wahanol.
- Paragraffau wedi'u hadeiladu'n gelfydd.
- Disgrifiadau o bobl.
- Disgrifiadau sy'n creu naws.
- Disgrifiadau o leoedd.
- Darnau cofiadwy o ddialog.

Dylid nodi enw'r awdur, y llyfr a rhif y dudalen wrth ymyl y dyfyniadau yn ogystal â nodi prif themâu'r darnau. Gall y disgybl ddefnyddio'r *Llyfr Lloffion Llên* hefyd ar gyfer cofnodi ei waith creadigol gorau.

Barddoniaeth

Barddoniaeth

"Trwy'r clyw yr â barddoniaeth i mewn... nid i'r ymennydd i'w deall yr â,
ond i ryw ymwybyddiaeth arbennig mewn dyn. Ei synhwyro a wneir, nid ei deall."
T. H. Parry Williams

"Does dim rhyddid mewn celfyddyd."
T. S. Eliot

Crefft lafar yw barddoniaeth

Yr hen enw ar farddoniaeth oedd '*Cerdd Dafod*'. Hen ystyr '*cerdd*' oedd crefft – ac mae'r gair '*tafod*' yn awgrymu mai rhywbeth i'w lefaru a'i glywed yw barddoniaeth yn ei hanfod.

Roedd barddoniaeth yn bod ganrifoedd lawer cyn bod geiriau'n cael eu hysgrifennu. Trosglwyddwyd y cerddi cynharaf nid ar bapur, ond ar lafar, o dafod y bardd i glust y gwrandäwr. Mae'r cerddi Cymraeg cynharaf yn llawn o gyseinedd, cyflythreniad, odlau a phatrymau sy'n felys i'r glust ac oherwydd hynny'n hawdd eu cofio.

Does dim amheuaeth fod y modd mae bardd yn defnyddio hud a lledrith sŵn geiriau'n bwysig iawn. Er mai darllen barddoniaeth o lyfr, heb ei llefaru'n uchel, y bydd llawer – eto rywsut wrth ddarllen mae sŵn y geiriau yn ein meddwl ac yn effeithio arnon ni.

> *Pan fydd bardd yn dewis geiriau,*
> *Nid yw'n dethol ond y gorau.*

Gosod trefn ar eiriau er mwyn creu hud a lledrith

Bydd y bardd yn dewis ac yn trefnu geiriau'n ofalus gan ystyried eu sŵn a'u synnwyr er mwyn i'r geiriau hynny greu effaith arbennig arnon ni. Rhaid i'r geiriau fod yn hudol a chyfleu'r ystyr yn berffaith er mwyn bod yn gofiadwy.

Wrth gwrs, mae brwydr gyson y bardd i ddod o hyd i'r geiriau iawn yn frwydr anodd. Mae'n anodd am fod y geiriau'n styfnig ac yn gwrthod cyfateb i'r hyn mae'r bardd am ei ddweud. Colli'r frwydr a methu cael y geiriau iawn y bydd y rhan fwyaf o feirdd ac ychydig iawn, iawn sy wedi llwyddo i fynegi'n gofiadwy eu profiadau. Ond y mae dyrnaid o feirdd, sef y goreuon, yn dangos crefft a meistrolaeth dros eu cyfrwng ac angerdd neu deimlad cryf yn eu cerddi ac o ganlyniad mae eu gwaith yn aros yn ein cof.

Gadewch i ni drafod rhai dulliau o roi trefn ar eiriau.

Cysylltiadau geiriau

Mae iaith yn gofnod o brofiadau'r bobl a fu yma o'n blaen ni yn siarad yr iaith honno ac oherwydd hynny mae iaith yn cynnwys doethineb y gorffennol. Yr iaith Gymraeg yw ein ffenestr arbennig ni ar y byd, ac mae pob gair yn y ffenestr honno wedi'i sgleinio a'i liwio gan brofiad ein cyndadau dros ganrifoedd lawer. Oherwydd y lliwio hwnnw ar eiriau'r iaith rydyn ni'n gweld y byd yn wahanol i rywun sy'n defnyddio iaith arall.

Nid yn unig hynny, ond mae gan eiriau gysylltiadau gwahanol i bob un ohonon ni. Rydyn ni i gyd wedi cael profiadau gwahanol, wedi gwneud ac wedi darllen pethau gwahanol, ac mae'r profiadau hynny'n cysylltu gyda geiriau arbennig. Pe bawn i'n torri fy nghoes drwy lithro ar eira, yna byddai'r gair 'eira' yn fy atgoffa o'r profiad hwnnw! Yn yr un modd pe bawn i'n colli rhywun annwyl byddai fy ymateb i gerdd yn sôn am farwolaeth yn llawer dyfnach na pherson sydd heb gael yr un profiad. Rhan o grefft pob bardd yw defnyddio cysylltiadau geiriau a'u hystyr dyfnach.

Gadewch i ni edrych ar gysylltiadau un gair – sef 'tân'.

- Rydyn ni'n cysylltu 'tân' gydag aelwyd, gwres, cartref, cariad.

- Efallai y daw i'n meddwl y rhai hynny sydd heb dân, heb aelwyd – y ffoaduriaid a'r digartref. Efallai y byddwn ni'n cofio darllen cerdd a fynegodd y profiad yn gofiadwy iawn:

  Llym awel, llwm bryn, anodd caffael clyd.[5]

- Gall eraill gysylltu'r gair 'tân' â'r gair 'glo' a dwyn i gof ddioddefaint ac arwriaeth glowyr Cymru yn eu gwaith ac mewn streiciau i wella'u byd. Efallai y byddwn ni wedi darllen Watcyn Wyn yn disgrifio'r Cymry yn barddoni ac yn adrodd barddoniaeth adeg egwyl yn nyfnderoedd du y ddaear.

- Daw'r geiriau 'Tân yn Llŷn' i gof rhai, a'r brotest ym Mhenyberth i atal defnyddio'r lle i baratoi at ryfel. Efallai y byddwn yn cofio am Saunders Lewis a pham y gwnaeth ei weithred:

  Gwinllan a roddwyd i'n gofal yw Cymru fy ngwlad
  I'w thraddodi i'm plant ac i blant fy mhlant...[6]

- Po fwyaf y byddwch chi'n ei wybod am hanes a llenyddiaeth eich pobl, mwyaf cyfoethog fydd eich ymateb i air, gan y bydd adleisiau'n dod i'ch meddwl o sut y defnyddiodd rhywun a oedd yn siarad yr un iaith â chi yr union air hwnnw gannoedd o flynyddoedd yn ôl. Efallai y daw i'ch meddwl y geiriau:

  Stafell Gynddylan ys tywyll heno
  Heb dân heb gerddau
  Digystudd deurudd dagrau.[5]

gan ddwyn i'r cof ddioddefaint ein pobl yn yr Oesoedd Tywyll a'n hatgoffa o ryfel a gormes.

Mae'r ystyron cudd a'r cysylltiadau yn ddiderfyn ac yn gweithio, gan amlaf, ar lefel yr isymwybol.

∞ YMARFER

1) Bathwch enwau ar bobl e.e. Dyn y Post – Amlen Evans neu Dai Parsel.
    Dyn diflas – Mr Wil Conan neu Achwyn Davies.

2) Gwnewch frawddegau gyda phob gair yn dechrau gyda'r llythyren: c, d.

Mydr

Rhoi trefn ar eiriau drwy greu patrwm arbennig a wna mydr. Dyma enghraifft o eiriau heb drefn:

> Bob, Siân, Ianto Prys, Bet, Morgan Puw a Shoni.

Dyma roi trefn ar y geiriau drwy gyfrif sillafau a chreu patrwm o acenion i greu mydr:

> Bob a Bet a Siân a Sioni,
> Ianto Prys a Morgan Puw.[1]

Fe welwch wrth ddarllen y ddwy linell hyn nad yw mydr ynddo'i hunan yn creu barddoniaeth – yn wir mae llawer iawn o gerddi mewn mydr nad ydyn nhw'n haeddu cael eu galw'n farddoniaeth!

Dyma enghraifft o feirdd sy'n ein hudo gyda rhythm drwy drefnu'r geiriau mewn patrwm pendant o acenion/sillafau ac odlau:

> Guto Benfelyn o Dyddyn-y-celyn
> A Gwenno o Dyddyn-y gwynt.[2]

> Mae dail y coed yn Ystrad Fflur
> Yn murmur yn yr awel,
> A deuddeng Abad yn y gro
> Yn huno yno'n dawel.[3]

Effaith mydr

Mae mydr yn cael effaith ar y gwrandäwr am ei fod yn defnyddio patrwm o seiniau sy'n apelio at y glust. Mae barddoniaeth dda fel petai'n mynd yn syth i'r galon. Dyma sut y disgrifiodd T. H. Parry Williams yr hyn sy'n digwydd:

> Fod yr ebychu drwy'r offeryn-chwyth
> Sy 'nghorn y gwddw, a'r gwyrdroi a wneir
> Ar hwnnw yn y genau i wneud set
> O seiniau llafar…
> Fod hynny rywsut rywfodd, yn cyffroi'r
> Galon i fynd fel buddai-gnoc o'ch mewn…[4]

Does dim amheuaeth bod barddoniaeth yn cael effaith arnon ni mewn ffordd na fedrwn ei esbonio – effaith sy'n tarddu o sain a rhythm geiriau, sy'n gweithio rywsut yn nyfnderoedd ein hisymwybod i greu ymateb cryf ynon ni. Ymateb sy'n gryfach o lawer iawn nag effaith ystyr y geiriau ar ein rheswm.

✏ YMARFER

1) Gwnewch gylch bychan ar ganol tudalen a rhoi gair ynddo. Yna gwnewch gylch mwy yn cynnwys cysylltiadau amlwg y gair. Gwnewch gylch arall tu allan yn rhoi'r cysylltiadau llai amlwg.

2) Crëwch gerdd yn dilyn cysylltiadau (eich profiad chi ac adleisiau o lenyddiaeth) un o'r geiriau hyn: gwaed, dŵr, gwynt, glaw, aderyn, glas, Dafydd.

Cyfrif Sillafau

Un ffordd o osod trefn ar eiriau yw cyfrif y sillafau er mwyn cael nifer arbennig ohonynt mewn llinellau.

•   Mae geiriau'n rhannu'n sillafau fel hyn: Daf-ydd, rhed-eg, tel-yn-eg.

•   Mae pob gair bach fel arfer yn unsill: Wil, te, cath, ci, drws.

•   Geiriau gyda dwy sillaf – blod-au, Dew-i, yf-ed.

•   Geiriau gyda thair sillaf – urdd-as-ol, tel-yn-eg, ag-or-odd.

•   Geiriau gyda phedair sillaf – pen-der-fyn-u, cyn-ddeir-iog-i, at-gyf-od-i.

☞ YMARFER

Faint o sillafau sy ymhob llinell yn y canlynol?

Yn eu harch [   ]
Parch; [   ]
Yn eu hoes [   ]
Croes. [   ][7]

Trawsfynydd! tros ei feini trafaeliaist [   ]
Ar foelydd Eryri; [   ]
Troedio wnest ei rhedyn hi, [   ]
Hunaist ymhell ohoni. [   ][10]

Hiraeth, hiraeth, cilia, cilia, [   ]
Paid â phwyso mor drwm arna. [   ]
Pan fwy drymha'r nos yn cysgu[   ]
Fe ddaw hiraeth ac a'm deffry. [   ][11]

Weithiau mae nghalon fel aderyn bach [   ]
A ddaeth drwy'r drws i'r gegin gefn, [   ]
Na ŵyr yn ei wylltineb hurt [   ]
Ei ffordd yn ôl i'r coed drachefn. [   ][9]

Y bedd du, annedd unig, ynot ti [   ]
Is tawel ywen frig mae huno mwyn. [   ][3]

Acen

Acen yw'r pwyslais naturiol sy'n cael ei roi ar air neu ar ran o air.

- Gellir gosod trefn ar eiriau a chreu rhythm mewn geiriau drwy ddefnyddio patrwm o acenion. Gall gair bach fod yn acennog neu'n ddiacen.

    Wíl yw̆'r dýn ĭ mí.

- Yn Gymraeg y mae'r pwyslais ar y sillaf olaf ond un fel arfer:

Mewn geiriau deusill:	Dáfydd, gwély, cýflym, déwis
Mewn geiriau trisill:	anrhégion, dinásoedd, blodéuog, profiádau
Mewn geiriau lluosill:	penderfýnu, arallfýdol, cynganéddion

- Mae'r ffaith bod yr acen ar y sillaf olaf ond un mewn geiriau o fwy nag un sillaf yn fantais fawr i'r bardd o Gymro. Yn ôl Dewi Emrys: "Hyn sy'n gwneud yr iaith Gymraeg mor soniarus a chanadwy."

- Ychydig iawn o eiriau o fwy nag un sill sydd â'r acen ar y sillaf olaf. Dyma rai geiriau sy â'r acen ar y sillaf olaf:

    sarhád, cyffrói, diymdrói, llawenháu, edifarháu, myfí, cyfléus

- Mae cael cerddi lle mae acennu'n rheolaidd yn gallu bod yn brydferth i'r glust. Mae llawer o feirdd yn creu cerddi sy'n rheolaidd eu haceniad er mwyn bod yn soniarus ac yn gofiadwy:

    Fe'th welais di ar lawnt y plas,
    A gwyntoedd Mawrth yn oer eu min;
    Ar feysydd llwyd a gweirglodd las,
    Ac awel Ebrill fel y gwin;
    Ni welwyd un erioed mor llon,
    Â'th fantell werdd a'th euraid rudd,
    Yn dawnsio yn y gwynt a'r glaw
    I bibau pêr rhyw gerddor cudd.[2]

- Gellir mesur llinell o farddoniaeth yn ôl nifer y curiadau neu acenion ynddi. Dyma enghraifft i chi o ddwy linell gyda phedwar curiad ymhob un:

    Dýma gáriad fél y móroedd
    Tósturiáethau fél y llí.[12]

- Gelwir rhaniadau'r llinell yn Gymraeg yn *Ban*. Dyma'r curiadau:

    Ŭn dýdd… yn y̆ báth… gwélăis ĭ… Dáfy̆dd

- Dyma enghraifft o *Driban Morgannwg* lle mae tri ban ymhob llinell heblaw am y drydedd linell lle mae pedwar ban neu guriad:

    Rhen Gwílym Hénri Léwis
    A rwýgodd dín ei drówsus
    Wrth blýgu láwr i gódi pín –
    Yr óedd e'n dýnn arswýdus![13]

Amrywio aceniad

Gall llinell fod yn rhythmig ac apelio at y glust ond os bydd yr un patrwm yn cael ei ailadrodd drwy'r gerdd, heb amrywiaeth, gall fynd yn undonog.

rŭ'n péth, rŭ'n péth, rŭ'n péth, rŭ'n péth, rŭ'n péth...

Dywedodd Waldo Williams unwaith mewn beirniadaeth bod cerddi felly'n ein suo ni i gysgu a bod angen amrywio'r rhythm er mwyn ein hysgwyd ni i feddwl.

Mae hyn yn arbennig o wir am fesur fel y soned lle gall y llinellau hir rhythmig fod yn anniddorol ac undonog. Sylwch fel mae Rhydwen Williams yn y soned *Pontlliw* yn fwriadol yn defnyddio patrwm undonog i gyfleu undonedd bywyd:

Rwy'n 'nabod yr undonedd annwyl sy
Mewn tŷ a phalmant yno, ffyrdd a phobl;
Pob cae, pob coedlan, pob hen dderwen ddu,
Pob llyn, pob llwyn, pob ach ac enw nobl.
Yr haul a'r lloer a'r sêr, y gwynt a'r glaw...[14]

Ond gwahanol iawn yw aceniad y soned *Moduro* lle mae'n dymuno newid undonedd y rhythm er mwyn creu cyffro a dal sylw:

Neithiwr wrth yrru fel ffŵl o'r Fflint i'r Ffrith,
Neidiodd ei bwndel blewog o ddwrn y nos...
Llifodd y golau'n fôr o glawdd i glawdd...
Car a chwningen a'u silindrau i gyd yn crynu...[14]

YMARFER

Drwy farcio'r acenion a fedrwch chi ddangos y patrwm a'r rhythm yn y llinellau yma?

Pam y deui, wynt, i wylo
At fy ffenestr i?
Dywed im, a gollaist tithau
Un a'th garai di? [16]

Un funud fach cyn 'elo'r haul i'w orwel,
Un funud fwyn cyn delo'r hwyr i'w hynt,
I gofio am y pethau anghofiedig
Ar goll yn awr yn llwch yr amser gynt. [17]

Mae hoelion hyd y tir a'r moroedd maith,
Mae hoelion mewn parwydydd ac mewn pyst. [17]

Oer yw min yr awel heddiw,
Noeth yw llethrau'r twyn,
Tithau'n cadw'r gân yn gynnes
Yn dy fynwes fwyn.

Dysg i'r di-fai edifeirwch, a dysg iddo obaith;
Cyrraedd yr hunanddigonol drwy glustog ei lwth… [10]

Byth, anghofia i fyth y bore gwyn
Y gwelais i Flodeuwedd gynta' erioed:
Tydi a Math yn cerdded dros y lawnt,
A rhyngoch chi, yn noeth fel blodau'r wawr…
… Edrychais arni, hithau arnaf i,
A gwisgo'i noethni â'm cusanau brwd… [6]

Odl

Odl sy'n 'neud pennill yn drefnus
A chlymu'r llinellau'n daclus.
Heb yr odlau i greu undod
Byddai wir yn annibendod!

Yr odl yw'r elfen sy'n gosod trefn ar y pennill. Fel arfer pan fydd bardd yn defnyddio odl fe fydd yn gwneud hynny ar ddiwedd llinell fel hyn:

> O am fyw yn glyd a didd**an** (a)
> Dan ymbrelo newydd sid**an**; (a)
> Yna hwylio'n ar**a**', ar**a**', (b)
> Lawr yr afon mewn tún b**ara**. (b) [8]

Pan fyddwn ni am ddisgrifio patrwm yr odlau fe fyddwn yn galw'r odl gyntaf yn (a) yr ail yn (b) a'r drydedd yn (c), yna (ch), (d), (dd) ac yn y blaen:

> Draw o ymryson ynf**yd** (a)
> Y chwerw newyddfyd bl**in**, (b)
> Mae yno flas y cynf**yd** (a)
> Yn aros fel hen w**in**. (b)
> Hen, hen yw murmur llawer m**an** (c)
> Sy rhwng dwy afon yn Rhos L**an**. (c)[10]

Y ffordd symlaf o odli yw fesul cwpled fel hyn:

> Pe bawn i yn artist mi dynnwn l**un**
> Ryfeddod y machlud dros benrhyn Ll**ŷn**. [18]

Fe ellir creu pennill pedair llinell yn odli: a,a,b,b neu a,b,a,b neu a,b,c,b. Mewn pennill chwe llinell mae'n bosibl cael amrywiaeth mawr o odlau.

Odlau dwbl

Yn wahanol i'r iaith Saesneg, prin iawn yw odlau dwbl yn Gymraeg. Yn ôl T. H. Parry Williams, "Mae odlau dwbl yn swnio braidd yn drwm yn Gymraeg." Er hyn gall odlau dwbl fod yn effeithiol yn Gymraeg ar gyfer creu hiwmor megis:

> A oedd Nebiwcodon**oser**
> Weithiau'n arllwys te i'w s**oser**? [8]

> Ni wn beth yw rhythm na chwaith beth yw **acen**
> Ond gwn pan fo pennill cyn fflated â ch**acen**.[54]

> Roedd bachgen yn Rhosllannerchr**ugog**
> Yn gwthio drwy'r clawdd mewn lle br**igog**.
> Gwnaeth ormod o frys
> A gadawodd ei grys
> Yn rhecsyn ar ben weier b**igog**.[54]

Odl broest

Hanner odl yw odl broest, sef y cytseiniaid yn ateb ei gilydd ond y llafariaid yn wahanol fel hyn:

> Rhoesant hi'n gynnar yn ei chwrcwd oesol.
> Deuddeg tro yn y Croeso **Mai**
> Yna'r cydymaith twyll a'i cafodd
> Ni bu ei llais yn y mynydd **mwy**.
>
> Dyfnach yno oedd yr wybren eang,
> Glasach ei glas oherwydd **hon**.
> Cadarnach y tŷ anweledig a diamser
> Erddi hi ar y copâu **hyn**.[17]

Odl fewnol

Mae odl, wrth gwrs, yn ffordd o roi pwyslais ar air ac mae'n naturiol felly bod beirdd yn defnyddio odl nid yn unig i greu undod mewn cerdd ond er mwyn pwysleisio.

Yn wahanol iawn i'r hen farddoniaeth Saesneg roedd yr hen farddoniaeth Gymraeg yn llawn o odlau mewnol. Roedd beirdd fel Taliesin ac Aneirin yn y chweched ganrif yn defnyddio odlau mewnol. Yn wir, mae Aneirin yn defnyddio tair odl fewnol mewn llinell agoriadol ac yn mynd ymlaen i ddefnyddio dwy odl fewnol ymhob llinell bron o'r awdl fer:

> Gwŷr a **aeth** Gatraeth oedd ffr**aeth** eu llu,
> Glasfedd eu hanc**wyn** a gwen**wyn** fu.
> Trich**ant** trwy beiri**ant** yn catau
> Ac wedi el**wch** tawel**wch** fu...
> Dadl di**au** ang**au** i eu treiddu.[19]

Sylwch ar y ddau air 'elwch' (sŵn mawr) a 'tawelwch' – dau air gwrthgyferbyniol y mae'r bardd yn tynnu sylw atyn nhw drwy eu hodli.

Gall odl fewnol ateb yr odl ar ddiwedd y llinell flaenorol fel hyn:

> Mi af oddi yma i'r Hafod L**om**,
> Er bod hi'n dr**om** o siwrne,
> Ac mi gaf yno ganu c**ainc**
> A'm pwys ar f**ainc** y simdde
> Ac ond odid dyna'r f**an**
> Lle bydda i t**an** y bore. [11]

A beth am grefft defnyddio odlau fel hyn?

> Cyn codi ar y gor**wel** dr**aw**
> Ei l**aw** mewn ffar**wel** olaf. [10]

Odl gudd

Un o nodweddion barddoniaeth Gymraeg yw defnyddio pob math o ddyfeisiau llenyddol. Un o'r dyfeisiau yw odl gudd, sef cysylltu diwedd un gair gyda dechrau'r gair nesaf er mwyn creu odl. Gellir gwneud hyn er mwyn creu cynghanedd. Dyma rai enghreifftiau:

> Dym**a b**en ar bob **ab**erth.

> Dau yn my**nd** ar derfy**n d**ydd.

Roedd hyd yn oed Taliesin yn y chweched ganrif yn bencampwr ar ddefnyddio odl gudd!

> Pan laddawdd Owain Fflamdd**wyn**
> Nid oedd f**wy n**ogyd cysgaid.[20]

Gormes yr odl a'r mesur

Arwydd o fardd gwael yw eich bod chi'n teimlo bod ei odlau'n bwysicach na'i synnwyr – hynny yw, mae'n methu creu cyfanwaith lle mae'r grefft yn guddiedig.

Cymorth i'r cof

Does dim amheuaeth bod odlau'n gymorth i ni gofio cerdd. Mae cerdd mewn odlau yn haws ei chofio na cherdd yn y Wers Rydd. Mae odlau'n creu cysylltiadau yn y meddwl, a'r geiriau sy'n odli yn tynnu sylw.

🔊 YMARFER

1) Beth yw'r patrwm odlau yn y canlynol?

Hen linell bell nad yw'n bod, [ ]
Hen derfyn nad yw'n darfod. [ ] [1]

Darn o wylltion afonydd, [ ]
Doldir a gweundir a gwŷdd, [ ]
A goludog aelwydydd. [ ] [21]

Pan fyddai'r nos yn olau [ ]
A llwch y ffordd yn wyn, [ ]
A'r bont yn wag sy'n croesi'r dŵr [ ]
Difwstwr ym Mhen Llyn, [ ]
Y tylluanod yn eu tro [ ]
Glywid o Lwyncoed Cwm-y-glo. [ ] [10]

O am fyw yn glyd a diddan [ ]
Tan ymbrelo newydd sidan; [ ]
Yna hwylio'n ara', ara', [ ]
Lawr yr afon mewn tún bara. [ ] [8]

Hisht! Hisht! [ ]
Ma'r gath yn y gist [ ]
A'i phen hi miwn [ ]
Yn canu tiwn [ ]
A'i chwt hi mas [ ]
Yn canu bas. [ ] [11]

2) Mae'r ddau bennill olaf yn enghreifftiau o Gerddi Dwli. Darllenwch yr adran ar *Cerddi Dwli* yn *Ar Dafod Gwerin* gan Tegwyn Jones ac ysgrifennwch benillion digri ar yr un patrwm.

3) Ewch ati i gasglu cymaint ag y medrwch o limrigau digri a'u copïo yn eich *Llyfr Lloffion Llên*.

4) Gwnewch gwpled neu bennill digri gan ddefnyddio odlau dwbl.

Y Llinell

Mewn rhyddiaith y frawddeg yw'r uned sylfaenol ond y llinell yw uned sylfaenol pob barddoniaeth.

Diwedd llinell

Mae diwedd llinell o farddoniaeth yn fwy pwysleisiol na diwedd brawddeg mewn rhyddiaith – dyna paham y datblygodd odl ar ddiwedd llinell. Pwysleisio geiriau a wneir wrth eu hodli a phwysleisio'r geiriau ar ddiwedd llinell a wneir wrth eu hodli.

Am fod diwedd pob llinell yn bwysig mae'n rheol anysgrifenedig na fydd bardd yn defnyddio geiriau dibwys, megis cysyllteiriau ac arddodiaid, ar ddiwedd llinell – hyd yn oed wrth ysgrifennu yn y Wers Rydd.

> *Rwy'n gallu ysgrifennu rhyddiaith yn*
> *dda iawn, ond*
> *pan fydda i'n*
> *gwneud cerdd fe fydda i'n*
> *gosod geiriau amhwysig fel*
> *hyn ar ddiwedd fy*
> *llinellau bob*
> *amser ac*
> *felly rwy'n*
> *fardd gwael am*
> *fod fy llinellau yn*
> *gorffen yn*
> *wan ac mae*
> *hynny'n*
> *drueni.*

Llinellau byr

> *Y llinell fer*
> *Sy'n her.*
> *Mae'n anodd iawn*
> *Heb ddawn.*

Dull arall o dynnu sylw ac o bwysleisio yw defnyddio llinellau byrion mewn cerdd.

Ychydig iawn o feirdd sy wedi meistroli'r grefft o ddefnyddio ychydig eiriau i ddweud llawer. Bai mawr mewn cerdd yw geiriau nad ydyn nhw'n talu am eu lle ac mae gair gwan neu ddiangen yn amlycach mewn cerdd fer.

Gall llinell fer fod yn effeithiol lle mae bardd angen pwysleisio nifer o eiriau yn sydyn megis Waldo Williams yn y gerdd hon:

Bydd mwyn gymdeithas,
Bydd eang urddas,
Bydd mur i'r ddinas,
Bydd terfyn traha.
Gwiwfoes yr oesoedd,
Hardd yr ynysoedd,
Branwen cenhedloedd,
Codwn i'w hadfer.[17]

Llinellau hir

Mewn llinell hir does dim rhaid gofidio
Mae digonedd o le i ddisgrifio!

Dyma enghraifft o **greu naws** a **disgrifiad manwl** mewn llinellau hir:

Diwrnod o heulwen hirfelyn haf
A'r ystafell yn llawn o'r cloff a'r claf;

Sawr disinffectant ac alcohol
A chylchgronau y llynedd ar fwrdd a stôl.

Y gruddiau canwelw a'r pennau gwyn
A'r ifanc anffodus ar bwys eu ffyn.

Y nyrs yn cyniwair ffit-ffat, ffit-ffat,
Mor oer a dideimlad â'r starts ar ei brat.

Y doctor ei hunan wedi'i neithiwr garw
Yn ddiamynedd ac yn hanner marw.

Y ffan yn sugno'r munudau hir
Allan drwy'r seilin i'r awyr glir.

Druan o blant y Wladwriaeth Les
Sy'n disgwyl eu tro ar brynhawn y tes.[9]

Llinellau hir iawn

Does dim byd yn well na chael llinell hir iawn
I roi cyfle i'r bardd ddangos ei ddawn.

Gall llinell fod yn fwy na deg sillaf hyd yn oed a mwy byth o gyfle i ddisgrifio!

Ddoe mewn cyfarfod misol ar lith brynhawnol sych
Gwelais ryw afon loyw a llawer meindwr gwych...
A Chloe gyda'i defaid: dylifai'i gwallt yn rhydd
Dan gadach sidan melyn, a lliwiai'r haul ei grudd.
Rhedai yn droednoeth ataf a chroeso ar ei min;
Nid oedd ond clychau'r defaid i dorri ar ein rhin.[22]

Llinellau hir yn cynnwys dyfeisiau

Mewn llinell hir mae lle i ddyfeisiadau,
Megis llawer iawn o ansoddeiriau.

Gwelodd hwn harddwch lle bu'i frodyr ef
Yn galw melltith Duw ar **aflan** fyd;
Gwrthododd hwn eu llwybrau hwy i nef
Am atsain **ansylweddol** bibau **hud**…
A chyn cael bedd, cadd eistedd wrth y gwleddoedd
A **llesmair** wrando **anweledig** gôr
Adar Rhiannon yn y **perl** gynteddoedd
Sy'n agor ar yr **hen anghofus** fôr. [23]

Adrodd stori

Beth sy'n well ar gyfer adrodd stori,
Na llinell â digon o le ynddi?

Dyma I.D. Hooson yn defnyddio llinellau hir er mwyn adrodd stori:

"Chwaraewn," meddai'r bachgen, "â rhai o'm ffrindiau hoff
A fyddai'n dyner beunydd wrth Huw, y bachgen cloff;
A gwelais yn mynd heibio ryw ŵr mewn mantell glaer
Na welais i mo'i thebyg erioed ar gefn y Maer.
Fe redodd fy nghyfeillion ar unwaith ar ei ôl,
A cheisiais innau ddilyn, a Siôn yr hogyn ffôl,
Yn gafael yn fy mreichiau; ond dyna Siôn yn mynd,
A minnau ar yr heol fy hunan, heb un ffrind…"

Toriad mewn llinell

Yn y canu Cymraeg cynnar defnyddiwyd toriad yng nghanol llinell i rannu pob llinell yn ddau hanner llinell. Effaith toriad cyson yng nghanol llinellau yw creu patrwm rheolaidd. Dyma enghraifft:

Bore duw Sadwrn || cad fawr a fu
O'r pan ddwyre haul || hyd pan gynnu.[20]

Erbyn hyn y defnydd mwyaf a wneir o doriad yw nid i greu patrwm ond i dorri ar batrwm rheolaidd.

Mae'n bosib i'r toriad ddod ar ddechrau llinell fel hyn:

Llwfr ydwyf, || ond achubaf gam y dewr;
Lleddf ydwyf, || ond darllenaf awdur llon.[10]

Neu ar ei diwedd fel hyn:

Marwolaeth nid yw'n marw. || Hyn sy wae.[10]

Mae atalnod llawn fel hyn yn cael yr effaith o bwysleisio dwy ran y llinell – yr hyn a ddaw o'i flaen ac ar ei ôl.

Dylech ddarllen y llinellau hyn yn uchel er mwyn clywed lle mae'r toriad. Weithiau bydd atalnod yn dangos y toriad, bryd arall bydd rhaid i chi ddibynnu ar yr ystyr.

Gellir defnyddio toriadau mewn llinellau er mwyn cyfleu'r toriadau a geir
mewn sgwrs naturiol fel hyn:

> O'r wlad, || o gwmni Pero bach a Loffti,
> Yn hogyn pymtheg, || pan oedd hogiau'n syml,
> Yn hogyn bochgoch distaw, || deuthum i
> Yn brentis i Gaernarfon; || deugain mlynedd
> Yn gwerthu celfi tai a gêr y ffarm...

> O hogiau y Red Cow, || wrth fynd am dro
> Wener y Groglith, || neu ar bnawn dydd Iau,
> A phasio'r hen Lanbeblig, || rhowch un tro
> I'ch meddwl tua'r hwn sy'n gorwedd yma...[23]

Cydbwysedd mewn llinell

Mae llawer iawn o linellau'n dibynnu ar gyfatebiaeth neu gydbwysedd am eu
heffaith. Yn wir gellir dweud bod y gynghanedd yn y Gymraeg ac yn arbennig
y Draws a'r Groes yn dibynnu ar gyfatebiaeth neu gydbwysedd o fewn dau
hanner llinell. Dyma enghraifft o gydbwysedd:

> Yr oedd eu gwisg yn barchus, a'u gwallt yn barchus dynn.[23]

> Alltud yw pobun; aelwyd oer yw'r byd.[6]

> Dau glogwyn, a dwy chwarel wedi cau.[4]

Cysylltu llinellau â'i gilydd

Mae perthynas llinellau â'i gilydd yn bwysig:

> *Gall llinell stopio ar y diwedd fel hyn.*
> *Neu gall llinell redeg ymlaen*
> *I'r llinell nesaf fel hyn.*
> *Does dim rhaid cyfyngu ystyr i ddwy linell*
> *oherwydd mae'n bosib*
> *i'r ystyr fynd ymlaen*
> *ac ymlaen*
> *fel hyn.*

∞ YMARFER

1) Darllenwch *Y Fantell Fraith* gan I. D. Hooson a cheisiwch ysgrifennu stori mewn llinellau hir yn odli a,a, b,b, ac yn y blaen.

2) Darllenwch waith Sarnicol neu Lên Meicro ac yna ceisiwch ysgrifennu cerdd mewn llinellau byr – cerdd yn mynegi teimlad cryf neu ddoethineb.

3) Gwnewch gerdd yn defnyddio llinellau hir mewn cwpledi i ddisgrifio un o'r rhain: stafell mewn ysbyty; stafell teulu cyfoethog; dyn digartref yn cysgu mewn adeilad gwag.

4) Darllenwch y cerddi canlynol sy'n adrodd stori drwy gyfrwng llinellau hir ac adroddwch nhw'n uchel (a dramatig lle mae hynny'n addas) yn y dosbarth gan gyfleu naws arbennig pob cerdd: rhan o *Y Dorf* gan Cynan, *Harddwch a Ras* gan T. Rowland Hughes. Trafodwch naws ac awyrgylch y cerddi gan ddadansoddi sut maen nhw'n adrodd stori, cyfleu hiwmor, myfyrdod neu gyffro.

5) Defnyddiwch yr *Odliadur* i greu cerdd ddigri gan ddefnyddio rhai o'r odlau ynddo – bydd llawer o'r cerddi'n swnio'n wahanol a dwl!

Trefnu Llinellau'n Ffurfiau

"Mae'n haws ysgrifennu cerddi mewn mydr caeth gan fod hanner y gwaith wedi'i wneud yn barod."
Jorge Luis Borges

> *Nid yw penillion yn ddim ond blychau*
> *A wnaed a gyfer dal llinellau;*
> *Blwch dal pedair, neu chwech, neu wyth sy'n iawn,*
> *Os bydd mwy mewn blwch fe fydd braidd yn llawn!*

Megis mae brawddeg mewn paragraff felly mae llinell mewn pennill.

Hyd y llinellau a phatrwm yr odlau sy'n penderfynu'r ffurf/mesur.

Dylai pob cerdd gyfiawnhau'r ffurf yr ysgrifennwyd hi ynddi. Mae rhai mesurau sy'n fwy addas nag eraill ar gyfer cyfleu math arbennig o neges.

Er enghraifft, mae ffurf y limrig yn addas ar gyfer creu digrifwch:

> **Roedd dyn yn byw draw yn Llŷn**
> **A chornwydydd yn blatsh ar ei dîn.**
> **Aeth draw i Bwllheli**
> **I gael bocsed o eli**
> **A wir erbyn hyn does dim un!** [8]

Mae'r soned gyda'i llinellau hir a'i symudiad araf urddasol, hamddenol yn addas ar gyfer cerddi difrifol sy'n fyfyrgar neu'n ddisgrifiadol.

Po fyrraf yw'r ffurf – yna mwyaf oll o grefft a chynildeb sydd ei angen. Does dim lle i eiriau gwastraff mewn mesurau byr megis cwpledi epigramatig neu englyn. Mae un gair nad yw'n gymwys mewn englyn yn ymddangos yn anferth o fai – ond mewn cerdd hir megis baled ni fyddai ond gwendid bach disylw.

Y Cwpled

Y ffurf fwyaf elfennol mewn barddoniaeth yw'r cwpled.

Does dim amheuaeth y gall cwpled odledig fod yn rymus a chofiadwy – dyna pam y mae'r Englyn a'r Soned yn gorffen mewn cwpledi. Dyma ddiwedd englyn Dewi Emrys i'r *Gorwel*:

> Hen linell bell nad yw'n bod,
> Hen derfyn nad yw'n darfod.[1]

a diwedd soned gan W. J. Gruffydd:

> Ychydig o'r hen wylo yn y glaw,
> Ychydig lwch yn Llanfihangel draw.[23]

Yn sylfaenol, ffurf gaeëdig yw'r cwpled sy'n cynnwys un darlun neu syniad sylfaenol, ac mae'r cwpled felly'n medru sefyll ar ei ben ei hun.

☞ YMARFER

1) Chwaraewch gêm Tenis Cwpledi – sef gwneud llinell, a'i rhoi i'ch ffrind iddo/iddi gael creu cwpled yn odli, a'ch ffrind yn gwneud yr un fath i chi.

2) Chwiliwch yng ngwaith y beirdd, megis y canlynol, am gwpledi cofiadwy: T. Rowland Hughes, Dic Jones, Gerallt Lloyd Owen, Cynan, T. H. Parry Williams, I. D. Hooson, Eifion Wyn a chopïwch nhw yn eich *Llyfr Lloffion Llên*.

Penillion

Ni fu defnyddio pennill tair llinell yn odli yn boblogaidd iawn gyda'r beirdd. Y rheswm am hyn yw bod un odl mewn tair llinell yn dilyn ei gilydd a'r rheiny'n llinellau o'r un hyd yn mynd yn undonog. Er hynny, ysgrifennwyd peth o'r farddoniaeth orau yn yr iaith Gymraeg ar ffurf penillion tair llinell:

> Cyn bum cein faglawg bum eiri**an**;
> Oedd cynwayw fym par, oedd cynw**an**.
> Wyf cefngrwm, wyf trwm wyf tru**an**. [5]

Does dim amheuaeth mai'r rheswm y datblygodd ffurf arall ar bennill tair llinell odledig oedd er mwyn creu amrywiaeth. Fe welir mor effeithiol yw amrywiad bach yn y patrwm mydryddol o dair llinell yma – sef gosod darn ychwanegol at y llinell gyntaf fel hyn:

> Y ddeilen hon neus cynir**ed gwynt**
> Gwae hi o'i thyng**ed**
> Hi hen, eleni gan**ed**. [5]

Mae'r un peth yn wir am bennill o bedair llinell. Prin iawn yw'r penillion pedair llinell ar yr un odl. Fe fyddai pennill felly yn undonog iawn ac yn swnio'n rhyfedd. Felly fe feddyliwyd am ffordd o amrywio pennill pedair llinell ar yr un odl fel hyn mewn englyn:

> Adeiladwyd gan dlod**i** – **nid cerrig**
> Ond cariad yw'r mein**i**.
> Cydernes yw'r coed arn**i**,
> Cyd-ddyheu a'i cododd h**i**. [10]

Mae'r ychwanegiad i'r llinell gyntaf, sef y cyrch, a chael chwe sillaf yn yr ail linell yn rhoi amrywiaeth mawr i'r mesur ac yn caniatáu cwpled trawiadol, cofiadwy i gloi.

Mae ffyrdd eraill o amrywio pennill. Un ohonyn nhw yw mesur *Triban Morgannwg* sy'n defnyddio llawer o odlau ond eto'n llwyddo, drwy newid hyd y drydedd linell a chael odl fewnol yn y llinell olaf, i gael digon o amrywiaeth yn y pennill.

> Yr wylan fach adneb**ydd** (7)
> Pan fo'n cyfnewid tyw**ydd**. (7)
> Ehed yn deg ar adain w**en** (8)
> O'r môr i b**en** y myn**ydd**. (7) [11]

Un o'r ffurfiau symlaf yw *Pennill Telyn*. Mae symlrwydd iaith yn gweddu i symlrwydd y ffurf – dylai fod yn gynnil a diwastraff:

> Hiraeth mawr, a hiraeth creulon,
> Hiraeth sydd yn torri nghalon;
> Pan fwyf dryma'r nos yn cysgu,
> Fe ddaw hiraeth ac a'm deffry. [11]

YMARFER

1) Chwiliwch am wahanol fathau o benillion a chopïwch y rhai rydych chi'n eu hoffi yn eich *Llyfr Lloffion Llên* gan nodi patrwm yr odlau a nifer y sillafau ymhob llinell.

2) Ysgrifennwch benillion di-odl o bedair llinell a chwe llinell gyda'r llinellau yn 8 a 7 sillaf.

3) Gwnewch soned ddi-odl gyda deg sillaf ymhob llinell.

Rhai Materion Eraill

Effaith seiniau arbennig

Gall sain adleisio synnwyr ac mae'r beirdd gorau yn gallu cael sŵn geiriau i gyfleu'r synnwyr yn berffaith. Mae yna stori ddoniol am blentyn o'r dre'n mynd allan i'r wlad am y tro cyntaf ac wrth edrych i mewn i dwlc mochyn a gweld y baw a'r llanast yn dweud, "Does dim rhyfedd eu bod nhw'n ei alw fe'n fochyn!" Roedd y gair 'mochyn' a 'mochyndra' yn un ym meddwl y plentyn!

Roedd Dafydd ap Gwilym yn feistr ar gael sŵn geiriau i gyfleu ystyr. Dyma fe'n disgrifio'r twrw mawr a wnaeth wedi iddo daro'n erbyn bwrdd nes bod y bwrdd a phopeth arno'n cwympo. Ceisio mynd yn dawel bach yn y tywyllwch ganol nos at wely ei gariad oedd e ar y pryd:

> A **ll**afar bade**ll** efydd
> Syrthio o'r bwrdd **dr**agwrdd **dr**efn
> A'r ddeu**dr**estl a'r ho**ll** ddo**dr**efn.[24]

Defnyddiodd y seiniau **ll** a **dr** i gyfleu'r twrw.

Sylwch wedyn ar ei ddefnydd o'r sain **ll**:

> A **ll**aesglog a chen**ll**ysglaw,
> Ac annog **ll**anw ac annwyd,
> Ac mewn nant **ll**ifeiriant **ll**wyd,
> A **ll**awn sôn mewn afonydd,
> A **ll**idio a digio dydd.[24]

Mae'n defnyddio **seiniau cras yr 'll' i gyfleu ei gasineb** at y gaeaf sy'n ei rwystro rhag caru.

Yn yr un modd mae Siôn Cent yn disgrifio diwedd dyn cyfoethog heb neb yn was iddo yn y bedd ond y llyffant, ac yn defnyddio'r sain **ll** i gyfleu **mor annymunol** yw diwedd pob dyn – hyd yn oed y dyn cyfoethog:

> **Ll**yffant hy**ll**, tywy**ll** yw'r tŷ
> Os gŵyl, fydd ei was gwely.[25]

Mae'r beirdd ar hyd yr oesoedd wedi defnyddio **t, dr** neu **tr** i gyfleu twrw a chyffro.

> **T**on **t**yrfid: **t**oid **t**u **t**ir.[5]

> Poni welwch-chi'**r d**eri'n ym**d**araw?[26]

> **Tr**ystiodd y **t**onnau **tr**osti.[3]

Does dim gwell enghraifft o ddefnyddio seiniau **i gyfleu twrw a dinistr** nag Eben Fardd yn disgrifio dinistr Jerwsalem – y seiniau yw: **t, tr, dr, ll, thr** ac **ch**:

> Tewynion treiddiawl tân a ânt trwyddi;
> Chwyda o'i mynwes ei choed a'i meini.
> Uthr uchel oedd, eithr chwâl hi; – try'n llwch
> A drych o dristwch yw edrych drosti.[27]

Dyma R. Williams Parry yn ddefnyddio'r cytseiniaid: **r, ll** ac **ch i gyfleu swn y môr stormus**:

> Er llanw a gorllewinwynt
> Ond uwch hyrddwynt y chwarddaf
> Uwch y llanw erch llawenhaf.[10]

Gall y sain **ch** hefyd gyfleu **tristwch neu ochain**:

> Uched y cwynaw och o'r cwynaw.[26]

> Nid oes le y cyrcher rhag carchar braw.[26]

Swn lleddf sydd i **w** ac felly mae'n addas i gyfleu **tristwch ac wylofain**:

> Wylaf wers tawaf wedy.[5]

> Ychydig o'r hen wylo yn y glaw
> Ychydig lwch yn Llanfihangel draw.[23]

Cysylltwn y sain **m** â'r **mwyn a'r melys**:

> Mwynder Maldwyn.
> Morynion glân Meirionydd.
> Paradwys y galon yw Milo'n y môr.[22]
> Dim ond amlinell lom y moelni maith.[4]

Mae'r sain **s** yn cyfleu **rhyw dawelwch mwyn**:

> Distaw ddisyfyd osteg cwsg fel am bopeth yn cau.[3]

Does dim amheuaeth bod y seiniau **s** ac **l** yn cyfleu tynerwch gan eu bod mor amlwg mewn hwiangerddi:

> Si hei lwli mabi...

Defnyddiodd Meilyr y seiniau **n, s** ac **f** i gyfleu **hud a lledrith** Ynys Enlli:

> Ynys Fair firain, ynys glan y glain.[29]

Dyna Iorwerth Peate a Cynan yn cyfleu **hud lle** arbennig gyda'r un seiniau:

> A'r nos a fu yn Roncevalle.[43]

> Gwybu fy nghalon hiraeth hir
> Am Fonastir, am Fonastir.[22]

Yn wir y mae **f** ac **n** yn ddigon i greu hud:

> Un funud fach ...Un funud fwyn...[17]

Cofiwch gallai bardd da ddefnyddio'r un seiniau i gyfleu rhywbeth hollol wahanol. Defnyddiodd R. Williams Parry y sain '**ll**' i gyfleu tynerwch!

> Llednais oedd fel llwydnos haf – llariaidd
> Fel lloer wen Gorffennaf.[10]

Roedd y Ffrancwr, Valery, heb wybod bod y fath beth â chynghanedd yn bod, yn credu mai da o beth fyddai cael barddoniaeth gyda'r sain yn adleisio'r synnwyr. Fe gredai Waldo fod yr hen Gymry wrth ddefnyddio cyseinedd ac odl yn anelu at greu "rhyw fath o farddoni sy'n gynghanedd i gyd."

Digon yw dweud bod pob bardd da yn ymwybodol iawn o effaith sain geiriau ac yn ceisio defnyddio hud a lledrith seiniau i greu effaith arnon ni.

> *Onid y gamp ydyw gwau*
> *Synnwyr mewn hudol seiniau?*

☞ YMARFER

1) Gwnewch gerdd fer gyda'r seiniau *ch* ac *ll* yn adlewyrchu testun y gerdd.

2) Gwnewch gwpled soniarus yn disgrifio lle hudol drwy ddefnyddio'r seiniau *m l* neu *n f s*.

3) Gwnewch hwiangerdd fach yn defnyddio'r sain *s*.

4) Edrychwch am linellau sy'n eich swyno. Wedi cael rhyw ddeg (llinell neu gwpled) rhaid i chi gael *Talwrn Gweiddi* yn y dosbarth. Daw dau i flaen y dosbarth a gweiddi eu llinell/cwpled mewn ffordd mor ddramatig â phosibl ac mae'r person arall yn ateb gyda'i linell/cwpled ef. Ar ôl i chi golli eich llais copïwch y llinellau/cwpledi i'ch *Llyfr Lloffion Llên* a cheisio dadansoddi eu swyn!

Creu naws

Mae gan bob cerdd ei naws arbennig ei hun. **Naws hiraethus, trist** a geir yn *Cofio* Waldo Williams:

> Un funud fach cyn elo'r haul i'w orwel,
> Un *funud fwyn* cyn delo'r hwyr i'w hynt,
> I gofio am y *pethau anghofiedig*
> *Ar goll* yn awr yn llwch yr *amser gynt*.[17]

Ond **naws cras, chwerw** y newyddfyd blin a geir yn *Y Dilyw* gan Saunders Lewis drwy gyfrwng geiriau a disgrifiadau fel hyn:

> Mae'r tramwe'n dringo o Ferthyr i Ddowlais,
> *Llysnafedd malwoden* ar *domen slag*;
> Yma bu unwaith Gymru, ac yn awr
> *Adfeilion* sinemâu a *glaw* ar *dipiau di-dwf*...
> Pa'nd gwell fai sefyll ar y gongl yn Nhonypandy
> Ac edrych i fyny'r cwm ac i lawr y cwm
> *Ar froc llongddrylliad dynion ar laid anobaith*,
> Dynion a *thipiau*'n sefyll, *tomen* un-diben â dyn.

Lle y bu llygaid mae *llwch* ac ni wyddom ein *marw*,
Claddodd ein mamau nyni'n ddifeddwl wrth roi inni laeth o Lethe…

Cododd y *carthion* o'r dociau *gweigion*
Dros y rhaffau sychion a *rhwd* y craeniau,
Cripiodd eu dylif *proletaraidd*
Yn *seimllyd* waraidd i'r tefyrn tatws,
Llusgodd yn *waed* o gylch traed y plismyn
A lledu'n llyn o *boer siliconaidd*
Drwy gymoedd *diwyneb* diwydiant y *dôl*.[6]

Naws ddramatig sydd i gerdd I. D. Hooson yn *Y Fantell Fraith*. Sylwch hefyd ar sioncrwydd y rhythmau a'r cydbwysedd o fewn llinellau:

Llygod!
O! dyna i chwi lygod, yn haid ar ôl haid,
Yn *ymladd* â'r cathod a'r cŵn yn ddi-baid;
Yn *brathu* y gwartheg a *phoeni* y meirch,
A *rhwygo* y sachau lle cedwid y ceirch;
Yn *chwarae* eu campau gan *wichian* yn groch,
A *neidio* i'r cafnau ar gefnau y moch…
Yn *torri* i'r siopau, yn *tyrru* i'r tai,
Yn *rhampio* trwy'r llofftydd, yn *cnoi* trwy'r parwydydd…[2]

Gellir creu naws hyd yn oed mewn ffurf mor fyr â'r englyn. Dyma Ieuan Wyn yn **creu naws llawenydd** genedigaeth baban drwy ddefnyddio delweddau o fyd goleuni:

Wyt *olau* yn y teulu – a diwedd
Dyhead wyt, Lleucu;
Wyt *haul* yn *llewyrch* i'r tŷ
Wyt enaid yn *tywynnu*.[40]

Yn yr un modd mae pennill bach yn medru **creu hud** golygfa ramantaidd brydferth megis Hedd Wyn:

Dim ond lleuad borffor
Ar fin y mynydd llwm
A sŵn hen afon Prysor
Yn canu yn y cwm.[41]

Gellir **creu naws ysgafn a hiwmor** hefyd mewn cerdd drwy ddethol geiriau anfarddonol. Dyma gân yn dychanu arddull ddelweddol y beirdd modern drwy ddefnyddio geiriau anfarddonol:

Cerais dy wefusau *lliw-llythyrdy*,
Trewaist fi fel *atom bom*! …
Pan grogai'r lleuad dros y *domen rwbel*
Fel clamp o *fop*
A'r afon yn felyn, felyn
Fel *margarîn* y Co-op…
Cerais dy ruddiau *gwrid-tomato*
A'r *pyrm* a donnai dy wallt
Roeddet ti'n dlws fel yr *ysgall pengoch*
Sy'n tyfu ar *fol* yr allt.[53]

1) Darllenwch y cerddi hyn gan esbonio pa naws sy'n cael ei chreu a sut y mae'r bardd yn creu'r naws honno: *Y Meirwon* gan Gwenallt; *Dangosaf Iti Lendid* gan Dafydd Rowlands; *Aberdaron* gan Cynan; *Cân yr Afon* gan Caradog Prichard.

2) Lluniwch gerdd 'naws' gan ddethol, cyn dechrau, y geiriau fydd yn cyfleu'r naws rydych chi am ei chreu. Dyma ddewis o destunau: Y Byd Modern; Rhyfel; Prynhawn o Haf; Rhuthr; Clown; Tawelwch. Neu beth am gerdd ddigrif yn defnyddio geiriau anfarddonol yn dechrau: *Mae nghariad i'n ddel... Mae'n siapus fel casgen gwrw...*

Y Berthynas rhwng y frawddeg a'r mesur

Fel arfer mae gofynion y mesur yn penderfynu natur y frawddeg.

Mae mesur y **soned** yn naturiol addas ar gyfer defnyddio brawddegau hir. Yn wir, mae sonedau R. Williams Parry yn aml yn un frawddeg hir o'r dechrau i'r diwedd bron.

Ffurf gaeëdig yw'r **cwpled** yn sylfaenol ac felly mae'r frawddeg a'i rhaniadau'n cydymffurfio â natur y cwpled ac yn oedi neu'n aros ar ddiwedd y cwpled. Mae modd peidio â chau'r cwpled, ond yn hytrach gadael i'r ystyr lifo i'r cwpled nesaf. Dangosodd T. H. Parry Williams ei fod yn feistr ar ddefnyddio'r rhigwm neu'r cwpled yn y ddwy ffordd. Dyma enghraifft o gwpledi caeëdig:

> Beth ydwyt ti a minnau frawd
> Ond swp o esgyrn mewn gwisg o gnawd?[4]

Dyma enghraifft o redeg yr ystyr o gwpled i gwpled:

> Beth yw'r ots gennyf i am Gymru? Damwain a hap
> Yw fy mod yn ei libart yn byw. Nid yw hon ar fap
>
> Yn ddim byd ond cilcyn o ddaear mewn cilfach gefn,
> Ac yn dipyn o boendod i'r rhai sy'n credu mewn trefn.[4]

Felly gyda'r **englyn. Yn sylfaenol ffurf gyda dau hanner yw'r englyn** – y ddwy linell gyntaf yn ffurfio rhagarweiniad a phwyslais naturiol ar yr odl ar ddiwedd yr ail linell; yna'r cwpled yn creu ergyd gofiadwy ar ddiwedd y mesur. Ond gall beirdd anwybyddu caethiwed y mesur a'i bwyslais naturiol a gwneud i'r frawddeg orlifo dros ffiniau naturiol y mesur.

Aeth y bardd Arfon Williams ati i greu englynion lle roedd y frawddeg yn llifo'n ddi-dor o ddechrau'r englyn hyd at ei ddiwedd – galwyd y math yma o englyn yn **Englyn Arfonaidd**.

Y Draffordd

Mor wyrdd yw meysydd fy mro, – ond fandal
Ddi-feind a ddaw heibio
Gyda hyn, a'i lygaid o
Ar gael tir i goltario.[49]

Dyma enghraifft arall lle mae undod naturiol y cwpled olaf wedi'i golli er mwyn creu pwyslais ar y llinell olaf.

Gyfaill, fy nrysau, os deui a geir
Yn agored iti
I aros os dewisi,
Gan nad eiddof eiddof i.[36]

A yw englynion lle mae'r frawddeg yn anwybyddu toriadau naturiol y mesur yr un mor gofiadwy ag englynion traddodiadol?

⊙ YMARFER

Fe wnaeth Dylan Iorwerth ddychanu arddull frawddegol englynion Arfon Williams drwy ysgrifennu Englynion Arfonaidd fel hyn:

Y mae'n nofio mewn afon nifer fawr o feirdd ac fe ddichon

y doeth

weled sili-don mud weithiau yn ymdeithio'n od o ara ond

nid erys

rhai pysg yn nŵr pwll yn betrus trwy fraw ond holltant

ar frys feiston acenion canys oherwydd teipiadur gwirion y farn

arnaf fi

T. Afon yw creu'n hollol ddigolon a dot y gerdd hynod hon.[34]

Fedrwch chi ysgrifennu'r gerdd yn eich *Llyfr Lloffion* gan roi iddi batrwm llinellau arferol englyn?

Atalnodi'r frawddeg o fewn y mesur

Wrth lefaru ei waith bydd bardd er mwyn creu effaith arbennig yn oedi neu greu toriad mewn lleoedd arbennig. Yr unig ffordd o gyfleu toriadau dramatig ar dudalen yw trwy atalnodi.

Gall atalnodi, neu ddiffyg atalnodi, arafu neu gyflymu symudiad cerdd. Gall hefyd gyfleu pwyslais, neu greu toriad a chael cyfle i newid naws.

Os wyt am gyfleu cynnwrf a chyffro,
Atalnod yn aml sy'n werth ei ddefnyddio.

O! dyna i chwi lygod a dyna i chwi sŵn,
Rhai cymaint â chathod, bron cymaint â chŵn:
Rhai duon, rhai llwydion, rhai melyn, rhai brith,
Yn lluoedd afrifed cyn amled â'r gwlith;
Rhai gwynion, rhai gwinau,
Rhai tewion, rhai tenau,
Yn rhuthro i'r golau o'r siopau a'r tai,
Gan dyllu trwy furiau o gerrig a chlai;
Rhai mawrion, rhai bychain,
Yn hisian a thisian,
A rhedeg dan wichian at Neuadd y dref...[2]

Os am bwyslais go iawn
Defnyddia atalnod llawn.

Megis y bu o'r dechrau, felly y mae.
Marwolaeth nid yw'n marw. Hyn sy wae.[10]

Ni sylwem arni. Hi oedd y goleuni, heb liw.
Ni sylwem arni, yr awyr a ddaliai'r arogl
I'n ffroenau. Dwfr ein genau, goleuni blas.[17]

↪ YMARFER

1) Dadansoddwch effaith yr atalnodi yn y cerddi canlynol: *Ymson Ynghylch Amser* gan R. Williams Parry; *Gwladys Rhys* gan W. J. Gruffydd: *Yr Heniaith* gan Waldo Williams.

2) Chwiliwch am soned yn cynnwys brawddegau hirion.

3) Dewiswch eich hoff englyn traddodiadol a'ch hoff Englyn Arfonaidd.

Dialog mewn cerdd

Gall dialog mewn cerdd greu effaith ddramatig iawn. Weithiau bydd y dialog yn cyfleu gwrthdaro megis yng ngherdd Taliesin *Brwydr Argoed Llwyfain* lle mae Fflamddwyn, arweinydd y Lloegrwys, yn dod yn haerllug a bostfawr i hawlio gwystlon, a gofyn ddwywaith amdanyn nhw. Yna, mae Owain ab Urien yn ei ateb ac yn pwysleisio deirgwaith na roddai fyth ferched na bechgyn ifanc ei bobl yn wystlon i'r gelyn:

> Atorelwis Fflamddwyn fawr drebystawd,
> **"A ddodynt fy ngwystlon? a ŷnt parawd?"**
> Ys atebwys Owain, dwyrain ffosawd,
> **"Nis dodynt, nid oeddynt, nid ŷnt parawd..."** [20]

Mae cerdd I. D. Hooson *Seimon, Mab Jona* ar ffurf cwestiwn ac ateb, ac mae hyn yn rhoi cyfle i'r bardd dreiddio i mewn i gymeriad Seimon ac esbonio ei deimladau tuag at Iesu Grist:

> "Paham y gadewaist dy rwydau a'th gwch
> Fab Jona, ar antur mor ffôl?
> Gadael dy fasnach a myned ar ôl
> Llencyn o saer o Nasareth dref;
> Gadael y sylwedd a dilyn y llef;
> Cartref a phriod a'th deulu i gyd,
> Cychod dy dad a'th fywoliaeth glyd,
> Glasfor Tiberias a'i felyn draeth,
> A diddan gwmpeini hen longwyr ffraeth;
> Gadael y cyfan a myned ar ôl
> Llencyn o saer a breuddwydiwr ffôl."
>
> "Gwelais ei wyneb a chlywais ei lef,
> A rhaid, a rhaid oedd ei ddilyn Ef.
> Cryfach a thaerach yr alwad hon
> A mwynach, mil mwynach na galwad y don.
> Ar hwyrnos loer-olau, ddigyffro, ddi-stŵr:
> Gadewais y cyfan i ddilyn y Gŵr." [2]

Wrth werthfawrogi cerdd lle mae dialog gofynnwch i chi'ch hunan pwy sy'n siarad, beth mae'n ei ddweud a beth yw effaith y dialog ar weddill y gerdd?

Cyfarch mewn cerdd – pwy sy'n cael ei gyfarch?

Weithiau bydd bardd yn cyfarch person arall neu'r gynulleidfa yn ei gerdd. Gall fod yn berson dychmygol neu real, Duw hyd yn oed. Gweddïo ar i Dduw roi cwsg iddo yng nghanol rhyfel a wna Cynan:

> Arglwydd, gad im bellach gysgu,
> Trosi'r wyf ers oriau du:
> Y mae f'enaid yn terfysgu
> A ffrwydriadau ar bob tu.[22]

Yn aml iawn bydd y bardd yn cyfarch yr un sy'n gwrando neu'n darllen ei gerdd. Dyna Gruffydd ab yr Ynad Goch yn cyfarch ei wrandawyr drwy ofyn iddyn nhw a glywan nhw holl fyd natur yn cynhyrfu oherwydd lladd Llywelyn ein Llyw Olaf:

> **Poni welwch-chwi** hynt y gwynt a'r glaw?
> **Poni welwch-chwi**'r deri'n ymdaraw?
> **Poni welwch-chwi**'r môr yn merwinaw'r tir?
> **Poni welwch-chwi**'r gwir yn ymgyweiriaw?
> **Poni welwch-chwi**'r haul yn hwyliaw'r awyr?
> **Poni welwch-chwi**'r sŷr wedi'r syrthiaw?[26]

Does dim rhaid i'r cyfarch ddigwydd ar ddechrau'r gerdd. Gall bardd droi'n sydyn ar ddiwedd cerdd i gyfarch ei wrandawr. Roedd Waldo Williams yn hoff o wneud hyn gan orffen ambell gerdd gydag anogaeth. Dyma ddiwedd ei gerdd *Preseli* lle mae'n cyfarch y gwrandawr ac yn ei annog i weithredu er mwyn cadw'r pethau gorau rhag cael eu llygru:

> Mae rhu, mae rhaib drwy'r fforest ddiffenestr.
> **Cadwn** y mur rhag y bwystfil, **cadwn** y ffynnon rhag y baw.[17]

Mae'n werth sylwi'n fanwl ar y berfau mewn cerdd – oherwydd gall y bardd droi o'r presennol i'r gorffennol, neu orffennol i'r presennol yn yr un gerdd a throi hefyd i gyfarch a defnyddio'r modd gorchmynnol.

Undod cerdd

Mae llawer o feirdd yn medru llunio llinellau unigol neu hyd oed gwpledi neu benillion cofiadwy, ond yn methu ysgrifennu cerdd gofiadwy. Yn wir prin iawn, iawn yn holl lenyddiaeth unrhyw wlad yw cerdd gofiadwy. Er hyn nod pob bardd yw gwneud ei gerdd yn ei chyfanwaith yn gofiadwy er mwyn mynegi'r profiad cyfan.

Awgrymu yn hytrach na dweud

Dweud yn blaen sy'n rhy ryddieithol
Awgrym cynnil sy'n effeithiol.

Camgymeriad yw pregethu neu ddweud y neges yn rhy amlwg. Gwell yw ei fynegi'n gynnil ac yn awgrymog, oherwydd fel y dywedodd T. Rowland Hughes, *'Nid gweiddi a wna bardd.'*

> Dacw nghariad ar y bryn,
> Rhosyn coch a rhosyn gwyn,
> Rhosyn coch sy'n bwrw'i flodau,
> Rhosyn gwyn yw 'nghariad innau.[11]

☞ YMARFER

1) Chwiliwch am hen benillion lle mae'r bardd yn awgrymu'n gynnil yn hytrach na dweud yn blaen.

2) Copïwch yr enghreifftiau gorau yn eich *Llyfr Lloffion Llên*.

Mesur ac Ystyr

Mae dewis y bardd o fesur yn bwysig iawn gan fod y ffurf neu'r mesur yn rhan mor hanfodol o'i neges. Sylweddolodd T. H. Parry Williams fod gwahanol fesurau'n addas ar gyfer gwahanol negeseuon. Pan oedd T. H. Parry Williams yn ysgrifennu'n fyfyriol neu'n ddisgrifiadol byddai'n dewis mesur y soned, megis yn ei gerdd *Dychwelyd* neu *Moelni*. Ond pan fyddai T. H. Parry Williams am ddweud pethau bachog am grefydd, neu ddynoliaeth byddai'n dewis mesur y rhigwm megis yn *Yr Esgyrn Hyn* ac yn *Hon*.

Gadewch i ni edrych ar un mesur, sef mesur y soned, a gweld y modd mae ystyr a ffurf yn rhan hanfodol o'r neges. Yn y soned Shakespearaidd reolaidd mae patrwm acenion y soned yn rheolaidd ac yn creu rhyw lyfnder urddasol sy'n addas iawn ar gyfer myfyrdod megis soned *Dychwelyd* T. H. Parry Williams neu ddisgrifio megis yn soned R. Williams Parry *Y Llwynog*. Gwelwn hyn hefyd yn ei soned:

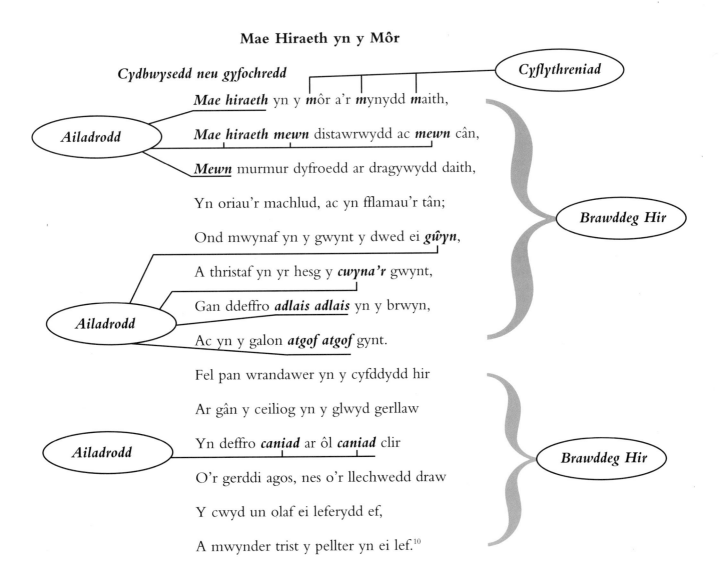

Mae Hiraeth yn y Môr

Cydbwysedd neu gyfochredd

Cyflythreniad

Mae hiraeth yn y môr a'r mynydd maith,

Ailadrodd

Mae hiraeth mewn distawrwydd ac mewn cân,

Mewn murmur dyfroedd ar dragywydd daith,

Yn oriau'r machlud, ac yn fflamau'r tân;

Ond mwynaf yn y gwynt y dwed ei gŵyn,

Brawddeg Hir

A thristaf yn yr hesg y cwyna'r gwynt,

Gan ddeffro adlais adlais yn y brwyn,

Ailadrodd

Ac yn y galon atgof atgof gynt.

Fel pan wrandawer yn y cyfddydd hir

Ar gân y ceiliog yn y glwyd gerllaw

Ailadrodd

Yn deffro caniad ar ôl caniad clir

Brawddeg Hir

O'r gerddi agos, nes o'r llechwedd draw

Y cwyd un olaf ei leferydd ef,

A mwynder trist y pellter yn ei lef.[10]

Mae patrwm yr acenion yn rheolaidd ac mae hyn, ynghyd â'r ffaith bod y soned yn ddwy linell hir, yn rhoi symudiad llyfn, urddasol i'r gerdd.

Ond yn y Soned Laes yma, *Cymru 1937*, mae nifer y sillafau yn y llinellau'n amrywio ac mae amrywiaeth mawr yn aceniad y llinellau'n gwneud y soned yn fwy dramatig a byw gan roi iddi symudiad a naws hollol wahanol i'r soned Shakespearaidd reolaidd.

Cymru 1937

Cyfarch y gwynt

Cymer i fyny dy wely a rhodia, O **W**ynt,

Neu'n hytrach eheda drwy'r nef yn **w**ylofus **w**aglaw;   *Sain w*

Crea anniddigrwydd drwy gyrrau'r byd ar dy hynt –

Ni'th eteil gwarchodlu teyrn na gosgorddlu rhaglaw.

Defnyddio'r gorchmynnol

Dyneiddia drachefn y cnawd a wnaethpwyd yn ddur,

Bedyddia'r di-hiraeth â'th ddagrau, a'r doeth ail-gristia;

Rho awr o wallgofrwydd i'r llugoer tu ôl i'w fur,

Gwna ddaeargrynfeydd dan **g**adarn **g**oncrit Philistia: *Sain g*

Neu ag erddiganau dy annhangnefeddus grwth

Cydbwysedd

Dysg i'r di-fai edifeirwch, a **dysg** iddo obaith;

Cyrraedd yr hunanddigonol drwy glustog ei lwth,

A **dyro** i'r **difater materol** ias o anobaith:

Cyfochredd neu gydbwysedd

O'r Llanfair sydd ar y Bryn **neu** Lanfair Mathafarn

Chwyth ef i'r synagog **neu** chwyth ef i'r dafarn.[10]

✆ YMARFER

1) Astudiwch y ddwy soned yn fanwl gan esbonio effaith y newid aceniad a thrafod y modd y mae'r dyfeisiau llenyddol yn cyfrannu at lwyddiant y gerdd.

2) Lluniwch soned yn llawn awgrymiadau ar sut i lanhau tŷ – sgrwbio'r toilet gyda lemwn ac yn y blaen!

3) Gwnewch soned yn seiliedig ar yr odlau hyn: **hen, glaw, gwên, braw, gynt, lli, gwynt, hi, maith, gwyn, llaith, syn, bedd, hedd.**

4) Darllenwch ragor o sonedau T. H. Parry Williams a hefyd sonedau R. Williams Parry i weld y modd y mae'r ddau yn defnyddio mesur y soned. Cymharwch ddwy soned o ran mesur, neges a chrefft.

Y Wers Rydd / Verse Libre

Er bod y geiriau 'y Wers Rydd' yn awgrymu bod gan y bardd ryddid i wneud beth bynnag mae e eisiau, dyw hynny ddim yn hollol wir. Diffiniwyd y Wers Rydd fel absenoldeb odl, absenoldeb ffurf ac absenoldeb mydr, ond mae i'r cerddi rhydd gorau batrymau rhythmig.

Mae sawl ffordd o ysgrifennu'r Wers Rydd.

Gall y Wers Rydd greu
penillion
o unrhyw hyd,
heb odl na phatrwm,
a dim ond hyd a thoriad y llinellau'n nodi'r rhythm.
Mae modd oedi'n hamddenol braf mewn llinell hir,
neu bwysleisio
drwy gyfrwng
llinell fer,
neu hyd yn oed
roi un gair ar ei ben ei hun.
Unig.

Gall hyd yn oed grwydro
               yma a thraw
ar y dudalen,
        fel dyn wedi meddwi
sy ddim yn siŵr
        ble mae e'n mynd,
            ond,
beth bynnag
        a wna'r bardd
fe ddylai fod rhythmau
i swyno'r glust.

Pe baech yn ceisio ysgrifennu'r Wers Rydd heb unrhyw batrwm fe fyddech yn siwr o ysgrifennu rhyddiaith fel hyn:

Annwyl Siân,
Dyw'r bwyd
oedd yn y cwpwrdd
ddim yno rhagor,
achos
fe fwytais i'r cwbwl.
Mae'n ddrwg gen i.
Hwyl!
O.N.
Roedd e'n flasus
dros ben.

Does dim y fath beth â phenrhyddid mewn barddoniaeth. Rhaid cael rhyw elfen o batrwm neu rythm hyd yn oed yn y Wers Rydd. Dyna paham yr awgrymodd Saunders Lewis "y dylai'r Verse Libre ddibynnu ar fesurau traddodiadol er mwyn sicrhau elfen gref o ddisgyblaeth." Mae Saunders Lewis yn cyfaddef iddo ddefnyddio mesurau traddodiadol – "eu hestyn, eu crychu a'u hystumio" yn ei ddrama fydryddol *Buchedd Garmon*.

Rhai patrymau a ddefnyddir gan feistri'r Wers Rydd

Mae modd gweld yng ngwaith y beirdd gorau sy'n ysgrifennu yn y Wers Rydd rai patrymau pendant sy'n llwyddo i wneud eu cerddi'n gofiadwy.

Hyd y llinellau

Hyd y llinellau yw un o brif ddyfeisiau'r bardd yn y Wers Rydd. Mae llinell fer bwysleisiol yn dilyn llinell hir yn hynod effeithiol:

> Ni chofiaf fawr amdano, bellach. Ond hyn –
> Mai dyn du oedd o.

> Carwn pe medret weld y byd newydd 'ma. Nid clai yw hwn.
> Crëwyd sment.

> Edmygais yr amynedd eliffantaidd y p'nawn hwnnw
> yn mynd â bocs o blant am dro.

> Roedd ei dduwioldeb mor amlwg â'r dannedd mawr gwyn yn ei ben.
> Wyneb tragwyddol y llwyth, wyneb d'ewyrth Twm, wyneb caethweision
> y canrifoedd,
> cwrteisi eboni byw,
> santeiddrwydd tywyll du.[14]

Mae rheswm dros linell hir bob amser. Gall llinell hir rythmig greu effaith arbennig. Mae'r llinell hir yn gyfrwng perffaith ar gyfer disgrifio:

> gwraig fach dduwiol a'i pharlwr yn orlawn o fara, sigaréts a sasparila,

> Toc, daeth hogyn heibio –
> llond bwced o gig, y gwala goch, yn ei law;
> a'r hen greadur anferth, newynog yn agor ei geg am damaid.

> Heb ing, heb angen – dim ond
> y chwain melltigedig dan ei gesail –
> yn pigo ei damaid ar hyd y llawr ymysg ei dom ei hun.[14]

Gall llinell hir fod yn fodd i arafu rhediad y gerdd a thynnu sylw. Yma, mae'r llinellau hir yn gyfrwng i ddangos llinach hir y march a'r holl ganrifoedd a foldiodd ei ffurf:

> Heddiw, yr oedd holl brydferthwch ei ganrifoedd, o'i fwng i'w figwrn,
> ei gynaeafu a'i ryfeloedd a'i ffeiriau a'i gaethiwed yn y talcen glo,
> y cwbl yn chwys-domen-dail o gnawdol,
> ac yn apocalyptaidd fyw.[14]

Gall llinell hir fod yn gyfle i ddefnyddio delwedd a hoelio sylw ar y ddelwedd:

> pâr o ddwylo fel dau bry-copyn anferth yn sownd wrth ei lewys
> ac yn cerdded dros dudalennau ei Feibl.

> Cofia fi at y mynyddoedd mawrfrydig
> a'r coed cyfeillgar
> a'r aberoedd aflonydd
> a'r afonydd sy mor hapus â merched yn eu gwelyau!

> Edrychais ar fy llun yn nŵr yr afon
> cyn i'r hen fyd 'ma dynnu'r og-ddrain dros fy ngruddiau.[14]

Weithiau mae bardd yn defnyddio llinellau'r Wers Rydd fel tynnwr lluniau yn defnyddio camera. Yn agor y lens yn araf fel hyn:

> F'anwylyd,
> Gair o'r diwedd. Fel y gweli,
> yr wyf yn Ffrainc. Bu'r milwyr yma drwy'r haf.[14]

Ac yna, ar y diwedd, yn cau'r lens yn raddol gan ganolbwyntio sylw ar y geiriau olaf fel hyn:

> A boed i'r clwyfau agorwyd ar y bryn waedu'r nos a'r dydd
> Dros Gymru yng Nghoed yr Helyg!
> O dulcis imperatrix!
> Mae fy ngwaith ar ben…[14]

Ailadrodd geiriau

Mae ailadrodd geiriau yn un dull o greu patrwm mewn cerdd rydd:

> Sment yw'r palasau a'r neuaddau;
> sment yw'r colofnau a'r theatrau;
> sment yw'r baddonau a'r grisiau;
> sment yr ymerodraeth i gyd.[14]

> Fedrwch-chi deimlo'r awyr yn wahanol?
> Fedrwch-chi weld y rhod yn troi?
> Fedrwch-chi weld y patrwm yn newid?[14]

Gwrthgyferbyniad

Gall gwrthgyferbyniadau greu patrwm:

> dieithr fel rhith, cynefin fel darn o lo.

> Nid addurn yw ein Cymreictod ond brwydr.
> Nid difyrrwch, ond iau ar ein gwarrau.

> Diwreiddiwyd ni wrth y cannoedd. Ail-blannwyd ar draws y byd…[14]

Cydbwysedd neu gyfochredd mewn llinell/rhwng llinellau

Gall creu cydbwysedd neu gyfochredd mewn llinell greu patrwm:

> – Bocs–sebon a phulpud hefyd.
> – Trowser-rib a phib-glai
> – Theomemphus a pheint o gwrw

> Yn goch gan waed, yn las gan niwmoconiosis

> Rhyw led-gofio'i wyneb. Hynny oedd ar ôl ohono.[14]

Mae cyfochredd rhwng llinellau yn hen, hen ddyfais ac fe welir hyn yn Llyfr y Salmau lle mae cynllun rheolaidd o gyfochredd, ailadrodd patrymau a gwrthgyferbyniadau fel hyn:

> Efe a wna imi orwedd mewn porfeydd gwelltog,
> Efe a'm tywys gerllaw y dyfroedd tawel.

Patrymu dialog

Gall gosod llinellau o ddialog i ddilyn ei gilydd greu patrwm:

> Gŵr dierth?
> Ie.

> Mae plant y ferch 'cw yn mynd i'r Ysgol Gymraeg.
> Ma 'na fachan ifanc o'r coleg yn dod i Nebo.[14]

Ailadrodd patrwm geiriol

Y dull mwyaf cyffredin o greu patrwm mewn cerdd yn y Wers Rydd yw ailadrodd patrwm geiriol fel hyn:

> Yfais gyda Sejanus.
> Anrhydeddwyd fi gan Tiberius.
> Cysgais gyda Julia.
> Codais dŷ-bach i Artaxerxes.

> Cofia fi at y mynyddoedd mawrfrydig
> a'r coed cyfeillgar
> a'r aberoedd aflonydd…

> Sut ma' pawb?
> Sut olwg sy ar y pentre'?
> Be' ddeudodd yr hogia 'mod i wedi ymuno?
> Sut mae'r genod i gyd? … Sut wyt ti?

> Dysgais drin trywel yn ogystal â phicell,
> Cŷn yn ogystal â gwaywffon.

> Cau'r blydi drws 'na!
> Dere i olchi 'nghefen i!

chwythu trombôn, taflu coeten, magu adar-sioe...

a'r diniweidrwydd a gollwyd yn Eden,
a'r perffeithrwydd a laddwyd ar y Pren,
a'r daioni amyneddgar a ffrwydrodd yr Ogof ar agor gynt...[14]

Esiampl o gerdd yn y Wers Rydd

Dyma i chi ddetholiad o gerdd *Ffynhonnau* Rhydwen Williams. Darllenwch
hi'n uchel er mwyn i chi fwynhau'r rhythmau sydd ynddi.

Gwrandewch. Fe'm ganed yma. Mae marc y Cwm
Fel nod ar ddafad arnaf. Acen. Atgofion. Cred.
Roedd y Rhyfel Mawr yn rhan o'm babandod. Fel torri-dannedd,
                a'r pas.
Roedd y Streic Fawr yn rhan o'm bachgendod. Fel marblis. A
                merched.
Magwyd fi'n dyner ar fronnau'r Ysgol Sabothol a'r tip-glo,
Cap-ysgol a sgidiau-hoelion drwy'r wythnos, melfed a botymau-perl
                            bob Sul.
Cynefin â ffowndri, sinema, cae-ffwtbol, bandrwm a Chymanfa Ganu.
Ceriwb bochgoch Cymreigaidd yn dysgu-adnod a rhegi yn ôl y galw.
'Rwy'n cofio...
yr hwteri hurt yn dychryn yr adar diniwed,
Olwynion, peiriannau, tramiau yn distrywio nos ar ôl nos
A'r pwll digywilydd – gorweddai ger yr afon
A'i dipiau fel tethau hen hwch yn y dŵr –
Yn torri gwynt yn wyneb y nef.
A'r mamau llwythog a'r gwŷr noethlymun yn y twba o flaen y tân.
            – Cae'r blydi drws 'na!
            – Dere i olchi 'nghefen-i!
A'r plant yn dynwared eu rhieni ar y stryd.

Nid addurn yw ein Cymreictod ond brwydr.
Nid difyrrwch, ond iau ar ein gwarrau.
(Mae'r iau yn drom. Mae'r frwydr heb fwrw arfau).
Daeth y gegin-gawl i wawdio'n tlodi.
Prynwyd urddas oddi arnom â cheiniogau'r dôl.
Diwreiddiwyd ni wrth y cannoedd. Ail-blannwyd ar draws y byd -
Hen wreiddiau diwerth a dyf ar unrhyw domen dan haul.

        – Ma' Morgan wedi cael B.A.
        – Neis 'u gweld nhw'n dod mlan.
        – Ma' Megan wedi cal **headship** yn Stoke.
        – Roedd hi'n dda gyta'r plant yn Saron.
        – Ma' Percy yn giwrat yn Stepney.
        – Siwto'r elite i'r dim.
        – Ma' Dyfrig yn **male-nurse** yn Uttoxeter
        – Bydd Tommy Farr gystal bachan â Tom Thomas.
        – Os caiff Jimmy Murphy 'i le gyta West Brom.

Pwy fydd ar ôl ar y mynyddoedd hyn
I rydu gyda'r gêr a'r olwynion a'r rheiliau,
A heneiddio gyda'r Achos a'r Cymrodorion a'r iaith,
Fel hen ieir yn crafu eu bywoliaeth yn rwbel y blynyddoedd?
   – Gŵr dierth?
   – Ie.
Eisteddai ar sedd wrth odre Moel Cadwgan.
Cap. Ffon. Sigarét.
Rhyw led-gofio'i wyneb. Hynny oedd ar ôl ohono.
   – Ma' plant y ferch 'cw yn mynd i'r Ysgol Gymraeg.
   – Ma' 'na fachan ifanc o'r coleg yn dod i Nebo.
Trodd dros y trum – yn her i bryder bro
A'i ffon mor gadarn â'i ffydd.[14]

✆ YMARFER

1) Darllenwch *Y Milwr* Rhydwen Williams a *Cwm Tawelwch* Gwilym R. Jones yn uchel, gyda phob aelod o'r dosbarth yn cymryd ei dro/thro. Trafodwch effaith rhythmau'r cerddi arnoch.

2) Dadansoddwch y patrymau yn y gerdd *Y Milwr* Rhydwen Williams (*Barddoniaeth Rhydwen Williams*).

3) Cymrwch 20 llinell o'r gerdd *Y Milwr* gan sgrifennu cerdd eich hun ar yr un patrwm ar destun *Y Ddinas* neu'r *Trydydd Byd* neu *Ddoe*.

4) Darllenwch y Salmau prydferth yn *Llyfr y Salmau* (yr hen Feibl cyn ei ddiweddaru) a cheisiwch greu Salm eich hunan yn moli cariad neu berthynas.

Y Mesur Moel

Pum trawiad gewch mewn llinell hir heb odl
Fel hyn, fel hyn, fel hyn, fel hyn, fel hyn,
Newid aceniad! Hynny sy'n iawn, neu roi
Sillaf yn fwy – ond rhaid cael pum curiad.
Mae creu rhyw doriad bach yn rhoi i chi
Ystwythder. Dyna sut mae cael rhythm sgwrs
Mewn mesur moel, a thorri'n aml ar lif
Y mesur. Toriad sy'n creu'r atal dweud
Sy'n nodwedd ar ein sgwrs naturiol.
Fe fedrwch hefyd redeg llinell mlaen
I'r nesa'n gyflym, wedyn rhuthro'n glou
Gan gadw mlaen yn gynt a chynt heb stop
O gwbwl. Yna, gallwch newid rhythm
A chreu hen linell fach sy'n rheolaidd braf
I greu rhyw urddas ar y diwedd 'to.

Dyma fesur y defnyddiwyd llawer arno mewn dramâu mydryddol. Mae cael pum curiad yn bwysicach na chyfrif sillafau yn y mesur yma. Dywed Saunders Lewis iddo ef geisio gwneud i'r mesur "awgrymu dulliau a rhythmau siarad pobl a fo'n meddwl yn ddwys ac yn teimlo i'r byw wrth siarad". Adroddwch y darn yma o ddrama Blodeuwedd yn uchel fel petaech yn gymeriad mewn drama glasurol er mwyn i chi werthfawrogi'r grefft a'r cynnwys:

Wyddost ti ddim beth yw bod yn unig.
Mae'r byd i ti yn llawn, mae gennyt dref,
Ceraint a theulu, tad a mam a brodyr,
Fel nad wyt ti yn ddieithr yn y byd.
Mae'r man y troediodd dynion yn gyfannedd,
A Gwynedd oll, lle bu dy dadau gynt,
Yn aelwyd iti, yn gronglwyd adeiladwyd
Gan genedlaethau dy hynafiaid di;
Rwyt ti'n gartrefol yn dy wlad dy hun,
Megis mewn gwely a daenwyd er dy fwyn
Gan ddwylo cariad a fu'n hir yn d'aros;
Minnau, nid oes i mi ddim un cynefin
Yn holl ffyrdd dynion; chwilia Wynedd draw
A Phrydain drwyddi, nid oes dim un bedd
A berthyn imi, heb na chwlwm câr
Na chadwyn cenedl. Dyna sut yr ofnaf –
Ofni fy rhyddid, megis llong heb lyw ar fôr dynoliaeth.[6]

⟳ YMARFER

1) Dadansoddwch y dyfyniad uchod gan nodi enghraifft o bob un o'r rhain: llinell reolaidd ei churiad, llinell gyda'r aceniad ar y sillaf gyntaf, toriadau sy'n cyfleu rhythmau siarad, llinell hir gyda mwy na phum curiad er mwyn pwysleisio delwedd.

2) Trafodwch effeithiolrwydd yr amrywiadau mydryddol.

Cerddi mewn Tafodiaith

Fel arfer bydd beirdd yn dewis ysgrifennu yn yr iaith lenyddol ond weithiau ceir ambell gerdd mewn tafodiaith. Anfantais tafodiaith yw bod apêl y gerdd yn tueddu i fod yn gyfyngedig i'r rai sy'n deall y dafodiaith. Cerdd rymus iawn mewn tafodiaith yw cerdd Dewi Emrys *Pwllderi*.

Dyma ddetholiad o'r gerdd sydd **yn nhafodiaith Sir Benfro**:

> Ro'n i'n ishte dŵe uwchben Pwllderi,
> Hen gatre'r eryr a'r arth a'r bwci.
> 'Sda dinion taliedd fan co'n y dre
> Ddim un llefeleth mor wyllt yw'r lle.
> 'All ffrwlyn y cownter a'r brethyn ffansi
> Ddim cadw'i drâd uwchben Pwllderi
> A drichid lawr i hen grochon dwfwn,
> A hwnnw'n berwi rhwng creige llwydon
> Fel stwcedi o lath neu olchon sebon.
> Ma' meddwl am dano'r finnid hon
> Yn hala rhyw isgrid trwy fy mron.[1]

Cerdd yn nhafodiaith y Cymoedd

> Ia, echdo cas a'i gladdu,
> Yn fynwant y Twyna'!
> Ma sywr o fod pum mlynadd ar ician
> O war claddu hi;
> Welas i ddim o'r garrag
> Wath o'dd y pridd
> I gyd weti c'el i dwlu ar i ben a.
> Fuas i 'na? Wel, do, w.[30]

Cerdd yn nhafodiaith Gwynedd

> Mae cusan deud y gwir, y peth odia:
> Gall neud i chi grynu i'ch bodia,
> Gall neud i chi fygu, troi'n goch, dechrau chwysu,
> Methu 'nadlu, bystachu a falla llewygu – mae'n dibynnu
> 'Fo pwy 'dach chi'n mocha.[51]

🔗 YMARFER

Ail-ysgrifennwch unrhyw gân dafodieithol naill ai yn eich tafodiaith chi neu mewn Cymraeg llenyddol.

Delweddau

Ystyr 'delwedd' yw llun neu ddarlun sy'n cael ei greu gan fardd drwy ddefnyddio dyfeisiau megis trosiad neu gyffelybiaeth. Ond does dim rhaid i'r delweddau fod o fyd 'gweld' – fe allan nhw fod yn unrhyw un o'r synhwyrau, er mai gweld a chlywed yw'r mwyaf cyffredin.

Yn aml iawn mae'r delweddau a ddefnyddia bardd yn gymorth i ddeall **pam** yr ysgrifennodd y gerdd – felly dadansoddwch y delweddau gan eu bod yn gymorth i ddeall cymhelliad y bardd a'r hyn mae am ei ddweud.

Cymhariaeth/Cyffelybiaeth

Wrth ddisgrifio rhywbeth, mae'r bardd yn dweud ei fod **fel rhywbeth arall**.

Gelwir hyn yn **gymhariaeth** neu **gyffelybiaeth**. Bydd cymhariaeth dda yn rhoi golwg newydd i ni ar y gwrthrych ac fe ddylai fod yn wreiddiol yn hytrach na defnyddio hen gyffelybiaethau sy wedi colli eu grym.

Pam y gyffelybiaeth arbennig hon?

Rhaid i chi holi'ch hunan pa agwedd ar y gwrthrych mae'r gyffelybiaeth yn ei bwysleisio? Dyma rai enghreifftiau:

> *Megis trindod faen* y safem…

Pwysleisio **mor llonydd** oedd y bardd a'i gyfaill wrth wylio'r llwynog mae'r gyffelybiaeth hon.

> Digwyddodd, darfu *megis seren wib*.

Pwysleisio *mor sydyn* y digwyddodd y cyfan, mor fyr y profiad, y mae'r gyffelybiaeth hon.

Trosiad

Wrth ddisgrifio rhywbeth, mae'r bardd yn dweud ei fod **yn rhywbeth arall**:

> 'Neidiodd ei *bwndel blewog* o *ddwrn y nos*;'[14]

Y "*bwndel blewog*" **yw'r gwningen fechan** sy'n neidio allan i'r heol. "*Dwrn y nos*" yw'r **tywyllwch**.

Mae defnyddio'r trosiad '*bwndel blewog*' yn creu **darlun annwyl** yn ein meddwl, tra bod '*dwrn y nos*' yn awgrymu rhyw ffawd greulon. Mae'r delweddau'n allwedd i gymhelliad y bardd – sef **euogrwydd y bardd wedi** iddo ladd cwningen fechan **a'i gydymdeimlad** â hi a'i ffawd anffodus.

Pam y trosiad arbennig hwn?

Mae'n bwysig bob amser i chi ofyn i chi'ch hun pam y dewisodd y bardd y trosiad, – beth roedd e'n ceisio'i gyfleu. Beth yw'r cysylltiad rhwng y trosiad a'r gwrthrych sy'n cael ei drosi?

> a chadw dyn yn ei deiau
> Nes dyfod **trosolion y glaswellt** a'u chwalu'n sarn
> Rhag dyfod drachefn amserddoeth fwg ei simneiau.[10]

Eisiau cyfleu y bydd natur yn dadwneud gwaith llaw dynion y mae'r gair *trosol*. Defnyddio 'trosol' i chwalu a wneir.

Dyma'r bardd yn esbonio bod sŵn sydyn sguthan wedi ei ddychryn. Ni fedrid cael gwell trosiad am sŵn y sguthan i gyfleu'r **ofn** a **sydynrwydd y sŵn** na'r ddelwedd yma:

> Dy ofn a'm dychryn, glomen wyllt,
> Pan safwyf dan dy ddeiliog bren;
> Arhosi'n fud o'i fewn nes hyllt
> Dy **daran agos** uwch fy mhen:[10]

Dyma enghraifft arall yn disgrifio **ceir crand** wedi dod i angladd:

> Yn ôl y papur newydd yr oedd saith
> A phedwar ugain o foduron dwys
> Wedi ymgynnull echdoe at y gwaith
> O redeg rhywun marw tua'i gŵys.[10]
> **Fwythdew fytheiaid!**

Pwysleisio prif neges y gerdd a wna'r ddelwedd. Sonia'r bardd bod y ceir yn *rhedeg* ac yn brysio ac mae'n teimlo bod hyn yn anaddas. Hefyd, mae'r ansoddair *mwythdew* yn **cyfleu dirmyg y bardd** at holl rodres yr achlysur: *mor sobr / eu moes a'u hymarweddiad â phetaent / Mewn duwiol gystadleuaeth am ryw wobr.* Yn wir gellir dweud bod y trosiad yn crynhoi holl themâu'r gerdd.

Personoli

Rhoi nodweddion dynol i wrthrych neu syniad yw personoli. Mae'r bardd yn sôn am rywbeth fel pe bai'n berson. Dyna T. Llew Jones yn galw'r hydref yn *hen wraig y tymhorau*:

> **Hen wraig y tymhorau** ydwyt
> Ar waethaf pob gwadu ffôl,
> Er tlysni'r breichledau melyn
> A lliwiau dy barasol…
>
> **Hen wraig y tymhorau** ydwyt
> A'th **ruddiau**'n rhychiog a chrin,
> A chlog dros lwydi di-angerdd
> Yw'r **minlliw** o gochliw'r gwin.

Pam personoli?

Rhaid gofyn *pam* mae'r bardd yn personoli'r hydref fel hen wraig. Y rheswm syml yw am fod llawer o nodweddion hen wraig o fath arbennig yn perthyn i'r hydref. Mae personoli'n rhoi mwy o gyfle i'r bardd am ei fod yn medru defnyddio llawer o ddelweddau megis trosiadau o fewn y personoli i ddarlunio mwy nag un agwedd – ceisio cuddio'i chyflwr dan liwiau hardd, ymbincio, marwolaeth yn agos, ac yn y blaen.

✎ YMARFER

1) Gwnewch gyffelybiaethau gwreiddiol a gwahanol i ddisgrifio'r canlynol: trwyn hir; gwraig dew; merch hardd; fan y postmon; awyren; pregethwr mewn du.

2) Gwnewch drosiadau am y canlynol: dyn tenau; bws ysgol; wiwer goch; haul cynnes; eira.

3) Gwnewch gasgliad yn eich *Llyfr Lloffion Llên* o'ch hoff bersonoli, cyffelybiaethau a throsiadau gan ychwnegu nodyn yn esbonio eu heffeithiolrwydd.

Dyfeisiau Llenyddol Eraill

Bydd bardd yn aml iawn yn defnyddio nifer o ddyfeisiau llenyddol eraill er mwyn dal ein sylw a chreu effaith arnon ni.

Cyferbyniad neu wrthgyferbyniad

O fewn llinell

Un o hen, hen ddyfeisiau barddoniaeth yw cael cyferbyniad neu wrthgyferbyniad mewn llinell. Dyma Aneirin yn disgrifio'r milwyr a aeth i Gatraeth ac a gafodd eu lladd – wedi sŵn mawr y frwydr "elwch" – nid oes ond tawelwch:

> A gwedi elwch tawelwch fu

Roedd beirdd *Canu Llywarch Hen* a *Chanu Heledd* yn hoff iawn o ddefnyddio gwrthgyferbyniad mewn llinell i greu effaith. Dyma ddisgrifiad o'r ddeilen sy'n symbol o dynged dyn:

> Hi hen, eleni ganed.

Rhwng llinellau

Roedd y gwrthgyferbyniad rhwng y byw a'r marw yn arswyd i R. Williams Parry. Y gwahaniaeth rhwng symud ac asbri bywyd, a llonyddwch a distawrwydd disymud marwolaeth:

> Y llygaid dwys, dan ddwys ddôr,
> Y llygaid na all agor!
>
> Troedio wnest ei rhedyn hi,
> Hunaist ymhell ohoni.[10]

Mae llawer iawn o brydferthwch *Canu Llywarch Hen* a *Chanu Heledd* yn tarddu o wrthgyferbyniadau rhwng llinellau megis y gwrthgyferbyniad rhwng prydferthwch byd natur a thrueni dyn claf sy'n methu symud oherwydd ei salwch:

> Yn Aber Cuawg y canant gogau
> Ar gangau blodeuawg,
> Gwae glaf a'u clyw yn fodawg.

Ac mae gwrthgyferbyniad rhwng cyflwr hapus Heledd a'i phobl a thristwch y presennol yn effeithiol iawn, wedi iddyn nhw ddioddef colli rhai annwyl a cholli eu cartref. Mae *tân* a *gwely* yn symbolau o lawenydd bywyd a *tywyll* yn symbol o farwolaeth yn y gwrthgyferbyniad yma:

Stafell Gynddylan ys tywyll heno,
        Heb dân, heb wely.
    Wylaf wers, tawaf wedy.

O fewn pennill

Dyma ddefnyddio agoriad englyn i greu darlun o hapusrwydd a llinell olaf sy'n
wrthgyferbyniad trawiadol a sioclyd yn cyfleu'r gwacter ar ôl marwolaeth
baban. Sylwch fel mae'r cyferbyniad ychwanegol rhwng y llinell gyntaf a'r olaf:

Enaid bach yn llond y byd, a'i lewyrch
Yn goleuo'r hollfyd.
Lle bu yn gannwyll bywyd
Crud gwag yw'r cread i gyd.[48]

Rhwng penillion

Gall gwrthgyferbyniad fod rhwng dau bennill megis:

Gadewais uchelderau
Fy mebyd ym Mhentwyn;
Gadewais gwmni Carlo,
A'r defaid mân a'r ŵyn.

Ond nid yw'r hen fynyddoedd
A'r defaid mân a'r ci,
Waeth pa mor bell y teithiaf,
Byth yn fy ngadael i.[21]

✎ YMARFER

1) Lluniwch dair llinell sy'n cynnwys gwrthgyferbyniad.

2) Lluniwch ddau gwpled, un yn ddigri a'r llall yn ddifrifol, gyda
gwrthgyferbyniad rhwng dwy linell y cwpled.

3) Chwiliwch am enghreifftiau o'r canlynol:

i) gwrthgyferbyniad mewn llinell

ii) gwrthgyferbyniad rhwng dwy linell

iii) gwrthgyferbyniad rhwng penillion a'u copïo yn eich *Llyfr Lloffion Llên*.

Cyseinedd

Mae'r bardd yn ailadrodd llafariaid er mwyn creu effaith. Dyna Hywel ab Owain Gwynedd yn canu ei fod yn caru ei fro ac yn defnyddio cyseinedd er mwyn cysylltu geiriau â'i gilydd i ddangos y cariad hwnnw:

> **gwy**lain **gwy**nion a'i **gwy**mp wragedd.

Dyma enghraifft o'r modd roedd R. Williams Parry yn ailadrodd llafariaid mewn dwy linell wahanol ac yn creu cyswllt rhyngddyn nhw:

> Y c**wy**d un olaf ei leferydd ef
> A m**wy**nder trist y pellter yn ei lef.

Roedd R. Williams Parry yn hoff iawn o sŵn y ddeusain '**wy**'!

> Anesm**wy**th drwst cad**wy**ni, lle mae'r meirch
> Yn disg**wy**l am y dydd a'r bore geirch.

> Ni l**wy**ddai bolltau'r dorau d**wy**s
> Y ferch o fro Egl**wy**seg
> A'n dilyn dr**wy** bob dim.
> Hoffusach ei Pho**wy**seg
> Na chân y m**wy**alch im.

> Gan b**wy**ll y b**wy**tawn, o dafell i dafell betryal,
> Yr academig dost. M**wy**nha dithau'r grual.

Fe fedrai ddefnyddio seiniau eraill a llafariaid eraill wrth gwrs:

> O s**ai**nt a Pharise**ai**d, m**oe**lni a m**oe**th,
> Llesmeir**io**l ymchwydd ac un**io**ndra n**oe**th.

> Ei wared o'i w**ae** a'r dd**ae**ar o'i wedd a'i s**awy**r,
> Cyn ail-harn**ei**sio dy f**ei**rch i siwrn**ei**au'r **awy**r.

⊙ YMARFER

1) Dyw hi ddim yn anodd defnyddio cyseinedd! Meddyliwch am destun megis "*Harddwch*" neu "*Y Bedd*". Cymrwch y llafariad o dan yr acen, sef **a** yn Harddwch a'r **e** yn Bedd. Yna chwiliwch am eiriau cysylltiedig â'r testun sy'n cynnwys y llafariad o dan yr acen yma fel hyn:

   Harddwch – *glas, bach, cariad, calon, haf*
   Bedd – *hedd, hen, gwely, gwedd, oer, tangnefedd...*

2) Chwiliwch am ragor o eiriau ar y ddau destun a gwnewch ddau bennill bedair llinell – un am y bedd a'r llall am harddwch.

3) Gwnewch gwpled yn cynnwys cyseinedd yn seiliedig ar y llafariaid **ae** neu **ei**.

Cyflythreniad

Yr hyn a wna cyflythreniad yw creu cyswllt rhwng geiriau a'i gilydd a hoelio sylw arnyn nhw:

> Ni wnawn wrth **ff**oi am byth o'n **ff**wdan ffôl
> Ond **ll**ithro i'r **ll**onyddwch mawr yn ôl.

Ond, os nad oes gwir gyswllt rhwng y geiriau, ac mai ar hap y digwydd y cyflythreniad, peidiwch â chyfeirio ato wrth werthfawrogi cerdd.

∽ YMARFER

1) Gwnewch sloganau'n cynnwys cyflythreniad fel hyn: **Bwytwch bys a bara Betws!** ar y pynciau canlynol: mewn tŷ bach; mewn caffi; mewn ysgol; mewn llong; mewn awyren; mewn argyfwng.

2) Gwnewch ansoddeiriau sy'n cyflythrennu gyda'r geiriau yma: plismon; prifathro; bardd; twmffat; Sioned; Beti; Dafydd; Twm.

Cwestiwn Rhethregol

Cwestiwn mae bardd yn ei ofyn iddo'i hun yw Cwestiwn Rhethregol ac yn fynegiant, fel arfer, o'i deimladau dyfnaf. Gall bardd ddefnyddio Cwestiwn Rhethregol hefyd, er mwyn gwneud i'r darllenydd, neu gymeriad o fewn y gerdd holi ei hun. Dyna i chi Heledd yn holi paham y gadawyd hi'n fyw ar ôl i'r Lloegrwys ladd ei theulu i gyd:

> Stafell Gynddylan ys digarat heno,
> Gwedy yr neb pieuat.
> Wi a angheu, byr y'm gat?

Neu Goronwy Owen yn dangos ei gariad at Ynys Môn gyda'r ddau gwestiwn yma:

> Pwy a rif dywod Llifon?
> Pwy rydd i lawr wŷr mawr Môn?

Geiriau cyfystyr

Defnyddio geiriau gwahanol gyda'r un ystyr yw hyn. Efallai mai'r enghraifft orau yw T. H. Parry Williams yn defnyddio geiriau gwahanol gyda'r un ystyr yn ei soned *Dychwelyd* er mwyn pwysleisio:

> *Distawrwydd... tangnefedd... tawelwch... gosteg... mudandod... llonyddwch.*

Ailadrodd

Gall ailadrodd o fewn yr un llinell fod yn ffordd effeithiol o **dynnu sylw at air**:

> Ac ni bu *dwthwn* fel y *dwthwn* hwn.[10]

Weithiau, mae'r bardd yn defnyddio'r un gair, neu ymadrodd, er mwyn **pwysleisio**'r hyn sydd ganddo i'w ddweud ac i gyfleu teimladau cryfion:

> *Hiraeth, hiraeth, cilia, cilia*
> Paid â phwyso mor drwm arna,
> Nesa dipyn at yr erchwyn
> Gad i mi gael cysgu gronyn.[11]

Cyfleu **teimlad cryf iawn** a wna'r ailadrodd yma hefyd lle mae Robert ap Gwilym Ddu yn cyfleu ei golled a'i alar ar ôl colli ei ferch:

> Ymholais, crwydrais mewn cri – och alar
> Hir *chwiliais* amdani;
> *Chwilio*'r celloedd oedd eiddi
> A *chwilio* heb ei chael hi.[32]

Gall ailadrodd gyfleu **undonedd neu ddiflastod**:

> A dim yn digwydd yno
> Ond *Sul* yn dilyn *Sul*.[23]

Dyma ailadrodd sy'n **rhoi ysgytwad** i ni:

> a *beth yw'r ots, beth yffarn yw'r ots,*
> os na ddeffrown byth mwy.[14]

Ailadrodd gydag amrywiad

Yn hytrach nag ailadrodd y gair fe fydd bardd weithiau'n amrywio ffurf y gair wrth ei ailadrodd ac mae hyn yn gallu pwysleisio mewn ffordd llai amlwg ond yr un mor effeithiol:

> *Cerais* ond ofer *caru.*

> *Marwolaeth* nid yw'n *marw.*[10]

> Rwy'n chwilio am y *cwm*
> Tu draw i'r *cymoedd.*[42]

☞ YMARFER

1) Gwnewch bennill yn ailadrodd y geiriau yma ar ddechrau pob llinell: *Trist yw...* Yna crëwch bennill gydag ailadrodd o'ch eiddo chi eich hun.

2) Gwnewch gwplèd lle mae'r gair sy'n cael ei ailadrodd yn newid rhywfaint.

3) Chwiliwch am benillion telyn a chopïwch bump o'r rhai sy'n cynnwys ailadrodd yn eich *Llyfr Lloffion Llên*.

Defnyddio ansoddeiriau

Mae defnyddio ansoddair yn dipyn o grefft,
Ond mae peidio â'i ddefnyddio yn fwy o grefft!

Gall ansoddair greu darlun neu gysylltiad newydd yn ein meddwl. Gwendid mawr yw defnyddio ansoddeiriau sydd wedi cael eu gorddefnyddio yn yr un cyd-destun. Bydd bardd da yn medru rhoi ansoddair cyffredin mewn cyd-destun newydd sy'n creu effaith drawiadol.

Gwyddai R. Williams Parry sut i ddefnyddio ansoddeiriau. Hoffai ddefnyddio ansoddeiriau gyda'r rhagddodiad **di–** megis **di**orffwys. Yn lle dweud 'ton aflonydd', nad yw'n arbennig mae'n dweud '**di**orffwys don'. Yn yr un modd er mwyn osgoi defnyddio 'tawel', sy'n rhy gyfarwydd, mae'n defnyddio '**di**fwstwr'.

A'r bont yn wag sy'n croesi'r dŵr
Difwstwr ym Mhen Llyn.

Roes i'm ***ddilaswellt*** lawr y dref...

Yn yrr ***ddiorffwys***, laes ***ddi-fref***...

dibreswyl draeth.[10]

Yn yr un modd gyda'r rhagddodiad **an–**

Onis ganed o'r hen ***anachubol, annynol*** wrach...

Anhyglyw ac ***anamlwg*** yn y cwrdd...

a throediodd ***ansathredig*** lwybrau...[10]

Gosod yr ansoddair o flaen yr enw

Effeithiol iawn yn aml yw gosod yr ansoddair o flaen yr enw er mai ar ôl yr enw y digwydd yn yr iaith lafar. Dyma R. Williams Parry yn defnyddio patrwm o ddau ansoddair o flaen enw:

Y ***gwyllt, atgofus*** bersawr a'r ***hen, lesmeiriol*** baent ...[10]

Byddwch yn ofalus gan nad yw hyn yn effeithiol bob amser.

Defnyddio dau ansoddair gyda'i gilydd

Roedd Williams Pantycelyn yn hoff iawn o ddefnyddio ansoddeiriau yn ddeuoedd er mwyn pwysleisio (fel arfer bydd y ddau'n gosod yr un pwyslais arbennig o ran ystyr) yn ei emynau fel hyn:

> Mae holl leisiau'r greadigaeth
> Holl ddeniadau cnawd a byd
> Wrth dy lais *hyfrytaf, tawel*
> Yn distewi a mynd yn fud.[12]

> Dwed dy fod yn eiddo imi
> Mewn llythrennau *eglur, clir*...[12]

Dyma enghreifftiau eraill:

> Ei nentydd *glân, rhedegog*
> A ennill bennill bardd,
> Ei bryniau *gwyllt, caregog,*
> Cyfoethog ŷnt a hardd.

> Mi flinais ar y pentref
> A'i deios *tlawd, di-liw,*
> Ei gapel moel, a'i eglwys
> Ddiaddurn ar y rhiw.

> Ei siopau *bach, crintachlyd*
> A'i strydoedd *gwyrgam, cul,*
> A dim yn digwydd yno
> Ond Sul yn dilyn Sul.

Osgoi defnyddio ansoddeiriau'n fwriadol er mwyn bod yn syml

Un o'r beirdd a oedd yn feistr ar ddefnyddio'r ansoddair oedd T. H. Parry Williams ond rhan amlaf mae ei waith yn foel a diaddurn a heb ddyfeisiau llenyddol.

Y Diwedd

> Aeth henwr heno, rywbryd tua saith,
> I ddiwedd ei siwrnai cyn pen y daith.

> Gwasanaeth gweddi, sblais ar y dŵr
> A phlanciau gweigion, lle roedd yr hen ŵr.

> Daeth fflach o oleudy Ushant ar y dde,
> A Seren yr Hwyr i orllewin y ne,

> A rhyngddynt fe aeth yr hen ŵr at ei Iôr
> Mewn sachlen wrth haearn trwy waelod y môr.[4]

⊂⊃ YMARFER

1) Gwnewch restr o bobl rydych chi'n eu hadnabod a lluniwch gerdd yn defnyddio:

patrwm enw'r person + dau ansoddair ar gyfer y llinell gyntaf

llinell ddisgrifiadol yn yr ail linell bob tro fel hyn (does dim rhaid cael odl):

> Sionyn annwyl, diog
> Yn symud mor araf â malwen mewn triog!

2) Gwnewch ddisgrifiad o le neu berson gan ddefnyddio'r patrwm yma yn y llinell gyntaf:

ansoddair, ansoddair + enw

Yna, llinell ddisgrifiadol i ddilyn fel hyn:

> **Llwm, unig** erwau
> Hen wlad fy nhadau.

Geiriau cyfansawdd

Un o nodweddion barddoniaeth Gymraeg yw defnyddio geiriau cyfansawdd, sef rhoi dau air at ei gilydd. Roedd defnyddio geiriau cyfansawdd yn digwydd yn naturiol ar un adeg mewn barddoniaeth Gymraeg ac mae gwaith beirdd cyfnod Dafydd ap Gwilym yn llawn o eiriau cyfansawdd.

> **Drisais** mewn gwely **drewsawr**...[24]

Erbyn hyn bydd bardd yn defnyddio gair cyfansawdd er mwyn creu effaith arbennig.

Dyma rai enghreifftiau:

Enwau: hafddydd, hynafgwyr, newyddfyd, trwmgwsg, crinddail, gloywddwr, gwallgofddydd, talgoed, henfro.

Ansoddeiriau: fwythdew, hyfrydlais, meinlais, cringoch.

Mae i air cyfansawdd rym arbennig – pa ryfedd felly i un o feirdd Lloegr, Gerald Manley Hopkins, ddefnyddio geiriau cyfansawdd (yn ogystal â chynghanedd) yn ei waith yn effeithiol dros ben.

YMARFER

1) Chwiliwch drwy waith R. Williams Parry am enghreifftiau o eiriau cyfansawdd ac ansoddeiriau trawiadol a chopïwch nhw a'u cyd-destun i'ch *Llyfr Lloffion Llên* er enghraifft "***chwerw newyddfyd blin***".

2) Beth am greu eich geiriau cyfansawdd eich hun? Os gellir dweud ***hyfrydlais*** gellir dweud ***craslais,*** os gellir dweud ***newyddfyd*** gellir dweud ***newyddbeth.*** Dangoswch eich geiriau cyfansawdd gwreiddiol i'ch athro a thrafod eu heffeithiolrwydd. Bydd rhai'n swnio'n od ac anaddas!

Bathu geiriau

Bydd beirdd a llenorion weithiau'n bathu geiriau newydd. Dyma R. Williams Parry'n protestio yn erbyn y modd y cafodd Saunders Lewis ei drin gan y Brifysgol ar ôl ei weithred ym Mhenyberth:

> Beth ddwedai'r Addfwyn am rai'n ein mysg
> Sy'n beiddio ***hitlereiddio*** dysg?[10]

Ebychnod

Pan fydd bardd yn defnyddio ebychnod fe ddylai hynny fod yn arwydd o deimlad dwfn. Roedd Waldo'n hoff iawn o ddefnyddio ebychnod i gyfleu mor gryf y teimlai:

> **O**! Faddeuant, dwg ni yn ôl,
> **O**! Dosturi, casgla ni ynghyd.
> A bydd cyfeillach ar ôl hyn.[17]

Ond gall ebychnod fod yn chwerthinllyd a swnio'n ffug — mater o chwaeth yw ei ddefnyddio.

YMARFER

1) Chwiliwch am enghreifftiau o fathu geiriau yng ngweithiau llenyddol Caradog Prichard a Mihangel Morgan.

2) Bathwch eiriau i gyfleu: trempyn; Cymru; y teulu brenhinol.

Onomatopoeia

Onomatopoeia yw defnyddio geiriau lle mae sŵn y gair yn cyfleu'r hyn sy'n cael ei ddisgrifio, e.e. *siffrwd* y dail, *murmur* y môr. Mewn barddoniaeth i blant mae'r ddyfais yma'n cael ei defnyddio fwyaf. Dyma I. D. Hooson yn disgrifio llygod:

> Gan **wichian** a **thisian**
> A **herian** a **hisian**.

T. Llew Jones yn disgrifio synau'r nos:

> **Hwtian** oer y gwdihŵ.
> **Crawcian** brogaod yn y llyn.

Gair Teg

Rhoi enw mwy dymunol ar rywbeth er mwyn osgoi dweud y peth annymunol, megis galw 'marwolaeth' yn 'huno'. Chwiliwch yn *Englynion Coffa Hedd Wyn* gan R. Williams Parry am enghreifftiau o hyn. Dyma fardd yn llunio englyn i'r bedd ac yn osgoi dweud y gair (hyd yn oed yn y teitl) drwy gyfrwng geiriau teg!

> **Diwedd y Daith**
>
> **F'awr a ddaw, af i'r ddaear – i'm gwely**
> Yn **llwm gol y braenar**,
> Lle ni chaiff cyfaill na char
> Fy nilyn er dwfn alar.[9]

Gwrtheirio

Gosod dau air sy'n wrthwyneb i'w gilydd o ran ystyr gyda'i gilydd:

> Dydd du; tawelwch ffyrnig; sŵn distaw; prysuro'n araf.

Uchafbwynt/Esgynfa

Esgynfa yw cyrraedd at bwyslais drwy gyfres o risiau fel hyn:

> A ddarlleno, ystyried;
> A ystyrio, cofied;
> A gofio, gwnaed;
> A wnêl, parhaed.

Bydd y rhan fwyaf o gerddi'n adeiladu at uchafbwynt.

Gormodiaith

Dweud mwy nag a feddylir yw Gormodiaith. Defnyddir gormodiaith ran amlaf er mwyn bod yn ddychanol ac yn ddigri. Dyma englyn yn disgrifio syched bardd o'r enw Deicyn yr Adarwr drwy ddweud y byddai'n yfed cymaint â thair afon o gwrw!

> Petai yn gwrw twrw, tirion – cŵyn moddus
> Cain, Mawddach ac Wnion:
> Ni adawai Dai un don.
> Taer yfwr o'r tair afon.[54]

Mae modd i fardd fod yn gwbl ddifrifol wrth ddefnyddio gormodiaith, er mwyn cyfleu maint ei hiraeth neu ei golled. Ond, gall gormodiaith ddifrifol droi'n chwerthinllyd. Byddai rhai'n ystyried bod y bardd hwn yn mynd yn rhy bell!

> Wylo'r wyf fel yr afon…[28]

Yn sicr, mae gormodiaith ddifrifol Tudur Aled yn chwerthinllyd!

> Dau alwyn doe a wylais.[50]

Gwrthesgynfa / Disgyniad

Mae disgyniad yn ymddangos fel pe bai'n adeiladu at uchafbwynt ond erbyn cyrraedd y diwedd fe geir rhywbeth heblaw uchafbwynt. Yn aml iawn fe ddefnyddir gwrthesgynfa er mwyn creu hiwmor neu ddychan megis :

> Mae'n y nef *am na nofiai*.[56]

> Diwedd trist a gafodd Martha
> Llithro wnaeth ar groen banana!

Sangiad

Sangiad yw torri ar rediad naturiol y frawddeg gan ymadrodd neu eiriau. Dyma I. D. Hooson yn dweud am y llwynog:

> Ond gwn na chei, *ffoadur chwim*,
> Gan ddyn na chŵn drugaredd ddim.

Mae'r disgrifiad *ffoadur chwim* yn torri ar rediad y llinell (ac yn cael ei ddweud rhwng cromfachau). Mae'r sangiad yn elfen amlwg iawn yng nghywyddau beirdd yr Oesoedd Canol, beirdd megis Dafydd ap Gwilym. Darllenwch y dyfyniad o gywydd Dafydd ap Gwilym ar dudalen 81 (Y Cywydd).

Trychiad

Gwahanu dau air sydd fel arfer wedi eu cysylltu'n agos â'i gilydd yw Trychiad. Urdd fynachaidd oedd y Brodyr Llwydion, ond yma mae'r bardd wedi gwahanu'r ddau air:

A **Brodyr**, ni ŵyr brawdwaith,
Llwydion, a ŵyr Lladin iaith.

Cymeriad Llythrennol

Dechrau dwy linell o'r cwpled gyda'r un llythyren yw Cymeriad Llythrennol. Dyma Iolo Goch yn disgrifio *Sycharth,* cartref Owain Glyndŵr:

Tai nawplad, fold deunawplas,
Tŷ pren glân mewn top bryn glas.[37]

Ond, os nad oes gwir gyswllt rhwng y geiriau, ac mai ar hap mae'r ddwy linell yn dechrau gyda'r un llythyren, peidiwch â chyfeirio atyn nhw wrth werthfawrogi cerdd.

Cymeriad Cynganeddol

Defnyddio dau air ar ddechrau dwy linell y cwpled sy'n cynganeddu â'i gilydd yw Cymeriad Cynganeddol.

Castell cudd meirw rhag eirwynt,
Cystal â'r pren gwial gynt.

Cydgymeriad

Sôn am y rhan pan olygir y cyfan yw Cydgymeriad, megis dweud bod dwy foch y ferch dan y pridd pan oedd ei chorff i gyd wrth gwrs wedi'i gladdu!

O **daearwyd ei deurudd**
Mae'n llai'r gwrid mewn llawer grudd.[39]

Chwarae ar wahanol ystyr geiriau

Mae nifer o eiriau sy'n swnio'n debyg, ond sydd ag ystyron gwahanol ac mae'r bardd yn chwarae â'r ffaith bod eu hystyron yn wahanol. Does dim byd newydd yn y ddyfais hon. Dyma un o feirdd cynnar Cymru'n cario pen ei frenin o faes y gad rhag iddo syrthio i ddwylo'r gelyn, ac yn defnyddio dau ystyr y gair porthi sef cludo a bwydo:

Pen a **borthaf** (gludaf) a'm **porthes** (roddodd fwyd i mi).[5]

O **synnwyr cyffredin** mae'n colegau ni'n llawn,
A hwnnw'n **synnwyr cyffredin** iawn.[7]

Themâu mewn Barddoniaeth

Dyn yn siarad o'r galon yw'r bardd ac yn mynegi ei deimladau dyfnaf yn ei farddoniaeth. Yr allwedd i ddeall cerdd felly yw darganfod y teimlad sydd tu ôl ac yn y gerdd – hiraeth serch, tosturi, dicter. Wrth astudio cerdd felly dylech holi eich hun, 'Beth yw'r teimlad sy'n cael ei fynegi yn y gerdd?' Y teimlad yw'r testun.

Wrth gwrs, mae modd i gerdd fod yn ddiddanwch yn unig sef cael ei chreu ar gyfer difyrru pobl. Yn wir, yn y traddodiad Cymraeg roedd swyddogaeth gymdeithasol i'r bardd – ef oedd yn moli'r arwr ac yn mynegi tristwch cymdeithas gyfan o golli arweinydd.

Mae swyddogaeth gymdeithasol y bardd yn dal yn bwysig ac mae gennym yng Nghymru feirdd gwlad sy'n canu llawenydd eu cymdeithas adeg priodas, a galar y gymdeithas adeg marwolaeth – y cerddi gorau yn naturiol yw'r rhai lle mae'r bardd yn siarad o'r galon.

 YMARFER

Chwiliwch am ddwy gerdd ar bob un o'r themâu a nodir. Cofnodwch nhw yn eich *Llyfr Lloffion Llên*.

Ieithwedd Cerdd

Ieithwedd yw dewis y bardd o eiriau – yr hyn sy'n cyfateb i arddull mewn rhyddiaith. Bydd ieithwedd y gerdd yn dweud llawer wrthon ni am agwedd y bardd at ei bwnc, yn union fel mae dewis pobl o eiriau wrth siarad. Dylech edrych yn fanwl ar ieithwedd y gerdd gan y bydd yn dweud llawer wrthoch chi hefyd am ei feistrolaeth ar ei grefft a'i agwedd at ei grefft – arbrofol, confensiynol, hynafol, syml gwerinol, syml, crefftus ayb.

Dyma fardd sy'n cyfleu ofn ac arswyd bywyd drwy ieithwedd ei gerdd:

> Ninnau sy'n **ofni marw** ac yn **ofni byw**;
> Buom yn **ofni ffon y sgwlyn,**
> Gwep y **plismon plant**,
> Cnoc y **beili** ar y ddôr,
> A gwg y **giaffer**.
> Arswydem unwaith rhag y **sawdl ddur**,
> Rhag **Munich** a **Belsen** bell,
> Rhag annwfn y **siamberi nwy**
> A'r **beddau mawr** a'r **pentwr cyrff:**
> Gwelsom mewn breuddwydion nos
> Y cysgod **lamp a wnaed o groen**
> A'r **sebon a wnaed o gnawd dynion**.[42]

Ond, os bydd y bardd yn creu darlun prydferth bydd yn dewis geiriau addas fel hyn:

> Yn irder ei blynyddoedd gwelodd hi
> Y byd yn **dawnsio** heibio; ar bob pen
> Roedd coron goch o **ros,** a'r tresi ffri
> Yn **sidan esmwyth** ar bob **mynwes wen**;
> Yn yr awelon, roedd **aroglau gwin**
> A **mwsg** a holl **bersawredd meddwol hud**;
> Aeddfedrwydd **mil cusanau** ar bob min,
> Ac ym mhob calon holl **lawenydd** byd.[36]

Os bydd y bardd heb fawr o grefft bydd yn ysgrifennu'n werinol fel hyn mewn ffurf syml megis cwpled neu bennill:

> Fy nghariad aeth i brynu moch,
> Mochyn du a mochyn coch;
> Un â chynffon wrth ei dîn
> A'r llall yn gwta heb yr un.[11]

Os bydd yn fardd crefftus bydd wedi meistroli ei gyfrwng yn llwyr ac yn gallu ysgrifennu fel hyn:

> Mis di-raen, mis dirinwedd – llwyd ei wisg,
> Mwll, di-haul yw Tachwedd;
> Mis gwynnu maes ac annedd,
> Mis caddug, barrug a bedd.[33]

Dyma enghreifftiau o feirdd yn ysgrifennu mewn ieithwedd neu gywair gwahanol. Rhaid i ni ystyried bod cerddi mewn bratiaith tu allan i deithi ac athrylith yr iaith.

Ieithwedd hynafol, glasurol

Wrth geisio adfer urddas yr iaith fe ddefnyddiodd beirdd fel John Morris Jones a T. Gwynn Jones, a hyd yn oed R. Williams Parry yn ei gyfnod cynnar, iaith oedd yn fwriadol yn cynnwys geiriau hynafol nad oedden nhw bellach yn rhan o iaith bob dydd pobl.

Dyma enghraifft:

> A haen ledrith niwl hydref
> Yn hug rhwng daear a nef,
> Ag ambr wawl dros gwm a bryn
> Trwyddo fal gwrid rhuddfelyn.
>
> Hyd ymyl werdd drwy y coed y cerddais,
> Mwynhau segurddydd, im nis gwaherddais,
> Deuwell im oedd gwrando llais yr adar
> Na garw drydar gwŷr y dre a edais.[3]

✆ YMARFER

1) Dyma rai geiriau a fu'n boblogaidd gyda beirdd oedd yn ceisio efelychu T. Gwynn Jones yn arbennig:

   bun, macwy, dihewyd, hafal, rhiain, gwawl, brwysg, gweirglodd, marian, diwetydd, llewych, tranc, llywethau, hoedl, henffych, madru, llathr.

   Ewch i'ch geiriadur i chwilio am ystyron y geiriau hyn gan eu copïo i'ch *Llyfr Lloffion Llên*.

2) Lluniwch gerdd mewn iaith hynafol gan batrymu eich hun ar naill ai John Morris Jones, T. Gwynn Jones neu *Awdl yr Haf* R. Williams Parry.

Ieithwedd ddelweddol

Daeth defnyddio llawer o ddelweddau mewn cerdd yn ffasiynol yn ein cyfnod ni. Y perygl yw goraddurno cerdd ac o ganlyniad gall golli ei symlrwydd a'i huniongyrchedd. Dyma enghraifft o ddefnyddio llawer o ddelweddau'n effeithiol:

Tân yn y dŵr

Yr oedd y pysgod
yn y dŵr
fel tân-gwyllt.

Cyn i mi blygu mlaen
i roi *tân wrth eu cynffonna'*
mi roedden nhw wedi mynd
yn *rocedi orengoch,*
gwibio, ymfflamychu,
diflannu
yn *nos y pwll.*[44]

Dyma enghraifft arall:

Y Babŵn

Eisteddai yn ei gell yn llygadrythu,
unig *fel astronawt yn y gofod,*
gyfandiroedd o'i fyd,
a'r wynebau o'i gwmpas *mor wag â'r sêr* iddo ef...

Edrychais arno. Ei ben –
potyn ar ei hanner ar droell y crochenydd,
a'r *clai yn wylo* mewn dau lygad digri
am fysedd o rywle i orffen ei geg.

Daeth arogl heibio'i drwyn,
arogl o'r gwair a'r cagl, a'i ddeffro i'w ffolennau ei hun,
a'i yrru *fel roced a'i dîn ar dân*
yn orbid sbeitlyd Rhyw.[14]

☜ *YMARFER*

1) Lluniwch ddelwedd i gyfleu: iâr fach yr haf/pili pala; afon arbennig; yr haul.

2) Lluniwch gerdd yn llawn delweddau o bob math. Trafodwch gerddi eich gilydd gan ystyried priodoldeb y delweddau ac effaith gorddelweddu.

Ieithwedd lafar

Mae'r Wers Rydd yn gyfrwng ardderchog ar gyfer atgynhyrchu rhythmau'r iaith lafar a rhoi i gerdd symlrwydd llithrig.

> Dere, fy mab,
>> i weld rhesymau dy genhedlu,
>> a deall paham y digwyddaist.
>> Dangosaf iti lendid yr anadl sydd ynot,
>> dangosaf iti'r byd
>> sy'n erwau drud rhwng dy draed.
>
> Dere, fy mab,
>> dangosaf iti'r defaid
>> sy'n cadw, mewn cusanau, y Gwryd yn gymen,
>> y fuwch a'r llo yng Nghefen Llan,
>> bysedd-y-cwn a chlychau'r gog,
>> a llaeth-y-gaseg ar glawdd yn Rhyd-y-fro.[47]

Ieithwedd syml uniongyrchol

Prif nodwedd arddull uniongyrchol syml yw osgoi defnyddio dyfeisiau llenyddol. Dyma enghraifft dda:

> Colli iaith a cholli urddas,
> Colli awen, colli barddas;
> Colli coron aur cymdeithas
> Ac yn eu lle cael bratiaith fas.
>
> Colli'r hen alawon persain,
> Colli tannau'r delyn gywrain;
> Colli'r corau'n diasbedain
> Ac yn eu lle cael clebar brain...
>
> Cael yn ôl o borth marwolaeth
> Gân a ffydd a bri yr heniaith;
> Cael yn ôl yr hen dreftadaeth
> A Chymru'n dechrau ar ei hymdaith.[45]

Ieithwedd arbrofol

Dyma enghraifft o ieithwedd arbrofol y bardd Aled Jones Williams:

<pre>
    Byw   marw   marw   byw
  Bywyd mewn marwolaethmarwolaeth mewn bywyd
    Byw   marw   marw   byw
  Bywyd mewn marwolaethmarwolaeth mewn bywyd
</pre>

Fel esdalwm. Yn marchogaeth Hîa! giât Plas. A'n llygada i ar gau. Ond yn gwbod. I'r dim. Lle oedd lle. O'r fagddu tu mewn i mi. Gefn dydd golau. A nadau apache yr awelon. Yng ngharlam y gwrychoedd. Yn methu'n glir. Â fy nal. Hyn tybed? Oedd (ydy?). Gobaith. /Chi sy nesa. A llygaid. Fel rheithgor. Pawb. Yn sbïo arna i. Gadawaf fy llyfr. Ar agor. Ar y gadair. Fel to bach ar. Air. / Wrth gerdded ar hyd y coridor. Gwyn, (fel llwch sialc ar lawes. Gynt. A'r llythrennau) O! hud yn. RhyfeddOd,) rwy'n troi'n goma ar ddalen wen, rhwng dau, air, rhwng , dau, olau, rhwng dau, lanw, rhwng dau, fyd,...[46]

Prif wendid defnyddio ieithwedd arbrofol yw bod yr arbrawf yn tynnu sylw oddi wrth y cynnwys yn hytrach na'i bwysleisio ac weithiau hyd yn oed yn cuddio'r ystyr. Cuddio crefft a gwneud yr ystyr yn eglur yw rhagoriaeth cerdd dda.

Ffug yw pob dosbarthiad, ond gellir dweud bod y rhan fwyaf o feirdd heddiw yn ysgrifennu mewn **Ieithwedd Lenyddol Gyfoes** gan geisio osgoi bod yn orhynafol, yn orlafar, yn orddelweddol, yn orarbrofol, ond yn hytrach yn ceisio darganfod y dull gorau o greu barddoniaeth gan ddefnyddio holl adnoddau'r iaith mewn ffordd mor gynnil ac effeithiol â phosibl.

 YMARFER

Gwnewch gerdd mewn ieithwedd arbrofol ar ôl darllen rhagor o waith Aled Jones Williams.

Gwendidau mewn barddoniaeth

Gwendidau mewn cerdd

Byddai'r beirdd slawer dydd yn ystyried mai **'tri bai cyffredin sydd ar gerdd'** sef:

"*tor mesur* (diffyg ar y ffurf)

drwg ystyr (diffyg cynnwys sy'n ystyrlon neu gerdd annealladwy)

cam ymadrodd (diffygion ieithyddol – gwallau neu fratiaith)."

Dyma enghraifft o dor mesur, sef odli dau air sy'n edrych yn debyg ond ddim yn odli:

Hen ŵr o'r enw **Ben**
Sy wedi mynd yn **hen**.

Dyma enghraifft o ddiffyg cynnwys neu ddiffyg ystyr:

Mae'r tŷ **fel teigr ffyrnig yn y coed**
Yn plygu'i ben yn swil.

Dyma enghraifft o gam ymadrodd, sef defnyddio bratiaith:

Un **ffyni** yw **ci bach fi**
Mae'n piso yn y tŷ!

Gormod o ddyfeisiau llenyddol

Dywedodd yr Athro W. J. Gruffydd unwaith wrth feirniadu mai un o wendidau llawer o feirdd yw '*pla o ofer addurniadau*'. Does dim lle i ddyfeisiau llenyddol mewn cerdd os nad yw'r dyfeisiau'n cyflawni eu pwrpas. Yn aml iawn mae symlrwydd ac uniongyrchedd yn llawer gwell.

Geirfa farddonllyd neu hynafol

Mae llawer o feirdd yn credu bod gwthio geiriau hynafol a defnyddio iaith farddonllyd yn gwneud cerdd dda. Unwaith eto, y gwendid yw goraddurn a diffyg symledd. Os oes gair cyfoes pa angen defnyddio gair hynafol nad oes fawr neb yn gwybod ei ystyr?

Gorwneud trosiad estynedig

Os bydd bardd yn gorddefnyddio'r un ddelwedd mae'n mynd i ymddangos yn annaturiol a ffug:

> Hen long ar fôr drycinog yw'r lleuad heno
> Yn brwydro drwy donnau gwyn y cymylau
> Nes dod i lyfnddwr awyr agored
> I nofio'n hamddenol,
> Cyn ei chuddio drachefn gan ewyn
> Cymylau gwyn.
> Yna ei llongddryllio ar greigiau tywyll cymylau'r nos
> A suddo o'n golwg yn llwyr
> Yn y dyfnderoedd du.

Addaster a dilysrwydd dyfais lenyddol

Bu tuedd yn y cyfnod modern i orbwysleisio delweddau gan gredu bod barddoniaeth ddelweddol yn well na barddoniaeth syml, ddiaddurn. Mae T. H. Parry Williams yn ein rhybuddio rhag credu bod defnyddio llawer o ddyfeisiau llenyddol yn gwneud cerdd dda.

Meddai: "Erbyn hyn mae pwys anghyffredin yn cael ei roi ar ddelweddau – wrth ei ddelweddau yr adnabyddir ac y graddolir bardd yn aml iawn. Ond yn sicr fe ddylid rywfodd allu mesur addaster ac effeithiolrwydd a dilysrwydd awenyddol llawer o'r delweddau mentrus, dyrys a direol yr ydym bellach yn gyfarwydd ag ef, ac y sydd, fe honnir, yn gynnyrch dychymyg barddonol."

Er mwyn dangos ei bod yn hawdd creu delweddau aeth T. H. Parry Williams ati i greu cerdd.

"Mi ddechreuais sgrifennu ar damaid o bapur rhyw ddelweddau gwyllt neu beidio a ddeuai i'm pen ar unwaith heb aros."

> Y mae fy enaid fel blwch matsus
> Yn llawn o fflamau na chyneuwyd
> O bren a phosphorws solet ac oer,
> Sydd eto heb wybod fod rhimyn o bapur swnd,
> Y swnd sy'n silicad budrfelyn,
> Yn ei ddiniweidrwydd cemegol, disgwylgar
> Ar hyd asgwrn cefn y bocs
> Ac aros nes dyfod y funud grafog, gyneuog
> Sydd yn hanes pob matsien
> Pan fo pob penglog yn ffrwydro fel fflam
> A phob coesyn yn crino'n golsyn.
> Ydyw
> Y mae fy enaid fel bocs matsys
> 'Swan'.

"Diau bod rhywfaint o sŵn barddoniaeth yn y llinellau, ond ni allaf weld dim addaster awenyddol yn y stwff."

Rhaid osgoi defnyddio hen gyffelybiaethau cyfarwydd

Mae cyffelybiaeth, mae'n wir, yn treulio
A cholli effaith o'i hir ddefnyddio.

Gwendid yw defnyddio cyffelybiaeth sydd wedi cael ei defnyddio nifer o weithiau gan feirdd eraill.

Un ysgafn ei throed **fel yr ewig**
A'i gwallt **fel y nos** am ei phen
Ei grudd oedd **fel y rhosyn**...

✆ YMARFER

1) Astudiwch un o gerddi delweddol Einir Jones. Gwnewch restr o ddeg delwedd dda gan esbonio pam maen nhw'n addas.

2) Ysgrifennwch gerdd ddelweddol. Trafodwch gerddi eich gilydd gan ystyried a ydyn nhw'n farddoniaeth neu beidio.

3) Meddyliwch am ddeg cyffelybiaeth gyfarwydd a gwnewch gyffelybiaethau newydd yn eu lle, e.e. **mor araf â malwoden**. Beth am **mor araf â malwoden gloff?**

Y Gynghanedd

"Mae'r geiriau yn galw ar ei gilydd."
Isfoel
"Chwilio am air a chael mwy."

Mae'r cynganeddion – sef ffordd arbennig o greu barddoniaeth drwy ddefnyddio cytseinedd ac odlau yn unigryw i'r iaith Gymraeg.

Cynghanedd Lusg

Dyma'r gynghanedd rwyddaf – sef odl fewnol. Ond rhaid i'r ail odl ddod o dan yr acen yn y gair olaf.

Pwy a rif dywod Llifon? [38]

Cynghanedd Sain

Mae odl yn y Gynghanedd Sain hefyd – dwy odl fewnol gyda'r cytseiniaid o flaen yr ail odl yn ateb y cytseiniaid yn y gair olaf. Gellir dweud bod tair rhan i Gynghanedd Sain fel hyn:

Pwy rydd i lawr / wŷr mawr / Môn [38]

Cynghanedd Groes

Rydych chi'n gallu torri Cynghanedd Groes yn ei hanner ac mae'r cytseiniaid yn un hanner y llinell yn ateb y cytseiniaid yn yr hanner arall fel hyn:

Teg edrych / tuag adre.

Dyma enghraifft arall:

Beibl i bawb / o bobl y byd.

Dyna i chi **b,bl, b** yn y rhan gyntaf yn ateb **b,bl, b,** yn yr ail ran.

Cynghanedd Draws

Mae'r Gynghanedd Draws yn debyg iawn i'r Groes ond dim ond dechrau a diwedd y llinell sy'n ateb ei gilydd fel hyn – mae bwlch yn y canol.

Hunaist (ymhell) ohoni

📀 YMARFER

Ymarfer ar y Gynghanedd Lusg

Odl fewnol yn unig sydd yn hon gyda'r ail odl yn digwydd dan yr acen yn y sillaf olaf ond un, ac felly'n odli, nid ar ddiwedd llinellau, ond fel hyn:

Wil y gw**as** ar gefn **ás**yn.

Dyma rai eraill:

Nid yw'r f**erch** yn un s**érch**og.
Mae tŷ br**af** yn yr H**áf**od.

Gorffennwch y llinellau hyn i greu llinell o Gynghanedd Lusg. Cofiwch ddarllen y cyfan yn uchel a bydd eich clust yn eich helpu i ddewis yr un cywir.

Yr eira a dd<u>aw</u>   (yn gyflym; yn dawel; bob noson).

Merch dd<u>el</u>   (o dre Llanwrda; o sir Gaerfyrddin; o Bantycelyn).

Mae glaw tr<u>wm</u>   (yn dod heddiw; yn y cwmwl; ar y mynydd).

Mae Deio b<u>ach</u>   (yn achwyn; yn canu; yn adrodd; yn rhedeg).

Mae'r adar m<u>ân</u>   (yn hedfan; yn canu; yn nythu).

Llwm yw'r c<u>ae</u>   (dan yr eira; yn y gaeaf; wedi'i bori).

Aeth fy m<u>am</u>   (ar gefn camel; yn y modur; i'r sioe flodau).

Bachgen t<u>ew</u>   (o Landysul; o Gaerfyrddin; o Landdewi).

Does dim t<u>ap</u>   (yn y bwthyn; yn y capel; ar bwys y gwely).

Mae ffordd b<u>ell</u>   (draw i'r Hafod; i Lanelli; i Felinfoel).

Ymarfer ar y Gynghanedd Sain

Mae s**ŵn** / y **c**ŵn / yn y **c**oed.

Fe welwch fod dau air yn odli ynddi, sef '*s**ŵn***' a '*c**ŵn***'.

Heblaw hynny mae'n rhaid ateb y '**c**' yn **c**ŵn a'r '**c**' yn y gair **c**oed. Ni wnâi'r tro i ddweud, 'Mae sŵn y cŵn yn y tŷ.'

Sylwch ar hon eto: Tua'r c**ae** / y **m**ae / yn **m**ynd.

Mae '**C**ae' a '**m**ae' yn odli, a'r '**m**' yn '**m**ae' yn cael ei hateb gan '**m**' yn '**m**ynd.'

Gorffennwch y llinellau hyn i greu llinell o Gynghanedd Sain:

Ei ddwy f<u>och</u> mor **g**och   (mewn winc; ag afal; â'r gwin).

Dringodd Gw<u>en</u> i **b**en   (y bws; to'r tŷ; yr ysgol).

Maes o l<u>aw</u> fe **dd**aw   (ei fam; ei chwaer; o'r ddôl).

Bu M<u>air</u> yn y **ff**air   (yn dda; yn ffôl; yn ddrwg).

Yn y m<u>an</u> aeth **D**an   (yn sâl; yn dost; i'r maes).

Wrth y b<u>wrdd</u> cawn **g**wrdd   (i gyd; cyn hir; bob un).

Rhowch fara j<u>am</u>   (i Mot y ci; i mam a mi; i Sal a Siw).

Yn y g<u>lyn</u>   (aeth Gwyn ar goll; aeth tŷ ar dân; aeth da i'r dŵr).

O mor f<u>aith</u>   (yw'r ffordd i'r dref; yw'r daith i'r de; yw'r ffordd i'r ffair).

Y mae'r rh<u>aff</u>   (yn mynd yn hen; yn hir a chryf; yn saff rwy'n siŵr).

Ymarfer ar y Gynghanedd Groes

Dyma enghraifft o Gynghanedd Groes:

Ei **gwên** hi / a'i **gŵn n**ewydd.

Sylwch fod y cytseiniad **g** ac **n** yn rhan gynta'r llinell yn cael eu hateb gyda **g** ac **n** yn yr ail ran.

1)   Fedrwch chi orffen y llinell hon?

   Rhedodd ef (i weld y byd; i ddal y bws; ar hyd y ddôl; mewn i'r cae).

   Gan fod rhaid ateb cytseiniaid **r,d,dd**, yn yr ail ran felly yr ateb wrth gwrs yw:

   Rhedodd ef a**r hyd** y **dd**ôl.

2)   Gorffennwch y llinellau hyn i greu llinell o Gynghanedd Groes:

   Dof yn ôl (ymhen rhyw awr; at mam a 'nhad; i'w gweled hi; i dŷ fy nhad).

   Rhedeg ras (ar hyd y graig; lawr y ddôl; â Deio bach; i fyny'r rhiw).

   U**n c**wpan (wedi torri; yn y capel; yn y caban; gwyn a melyn).

   Y **mae nyth**od (gan adar; mewn llwyni; mewn eithin; yn brydferth).

   Nid yw Wiliam (yn sgolor; yn darllen; yn dilyn; yn malio).

   Wele'**r ll**anc (a ddaeth o'r dref; a hwylia'r llong; a ganodd gân; sy'n well na mi).

   Mwyn yw **rh**odio (mewn rhedyn; trwy'r goedwig; glan afon; hen lwybrau).

   Mae'r afalau (yn aeddfed; mor felyn; yn tyfu; mewn perllan).

   Nid yw **D**ai (yn gwisgo het; yn mynd i'r ffair; yn hidio dim; yn gweld yn iawn).

Gormes y gynghanedd ar yr ystyr

Gan fod llunio cynganeddion yn anodd iawn, mae beirdd sâl, er mewn creu cynghanedd, yn gorfod defnyddio geiriau llanw neu eiriau nad ydyn nhw'n cyfleu'r ystyr yn hollol. Fe ddywedodd R. Williams Parry rywdro wrth feirniadu cystadleuaeth oedd yn gofyn am gynghanedd: 'Yn nerth y gynghanedd y mae gwendid mwyafrif y penillion.' Hynny yw roedd ystyr a symlrwydd mynegiant yn mynd ar goll oherwydd bod y beirdd yn methu cael geiriau i gynganeddu er mwyn cyfleu'r ystyr.

Esbonio Effaith Cynghanedd

Dyma gerdd mewn cynghanedd, sef cywydd gan T. Llew Jones, a oedd ar y pryd yn athro ysgol, er cof am un o'i ddisgyblion, merch fach o'r enw Dilys a fu farw yn wyth oed.

Er cof annwyl am Dilys, Argoed Isaf, Bryngwenith

(a fu farw yn ddisyfyd yng Nghymanfa Ganu'r Urdd yn Llandysul, 1964, yn 8 oed.)

Dilys fy mechan annwyl
Mor iach yn llamu i'r ŵyl;
Wrth fyned – deced â'r dydd
Ei gwên hi a'i gŵn newydd.

Hwyr y dydd ni throes o'r daith
Dilys i Argoed eilwaith;
O'r ysgariad ofnadwy,
Mae'r Angau mawr rhyngom mwy.

Distaw dan y glaw a'r gwlith
Yw y gân ym Mryngwenith.
Difai wyrth ei phrydferthwch
Yma'n y llan roed mewn llwch,
A gwae fi, mor ddrwg fy hwyl,
Blin heb fy nisgybl annwyl;
Harddach na blodau'r gerddi,
– Fy Nilys ddawnus oedd hi.

I'w hoergell aeth o Argoed
Ddiniweidrwydd wythmlwydd oed,
A gadael ar wag aelwyd
Yn ei lle yr hiraeth llwyd.

Awn ni'n hen, dirwyna'n hoes,
Dihoeni yw tynged einioes.
Daw barn ein hoedran arnom
A theimlo saeth aml i siom.

Erys hi fyth yn ifanc,
Llon ei phryd, llawen ei phranc,
Yn ein co'n dirion a del,
Nos da fy Nilys dawel!

Yr hyn a wna cyseinedd ac odl yw rhoi pwyslais ar eiriau arbennig – hyn sy'n esbonio pam eu bod yn drawiadol a chofiadwy.

Dadansoddiad o effaith rhai llinellau cofiadwy y cywydd uchod

Mae'r llinell gyntaf yn Gynghanedd Lusg sef odl fewnol gyda'r ail odl yn y gair olaf yn y sillaf olaf ond un:

Dilys fy mechan annwyl

Effaith hyn yw pwysleisio'r geiriau lle mae'r odl sef mech<u>an</u> ac <u>ann</u>wyl. Dyna ni wedi creu darlun o'r ferch: roedd hi'n fechan, dim ond wyth mlwydd oed oedd hi, ac wedi pwysleisio ei bod hi'n annwyl.

Yr un effaith a geir wrth ddefnyddio cynganeddion eraill megis y Sain – sef rhoi pwyslais a thynnu sylw at eiriau arbennig. Dyma linell o gynghanedd Sain:

Wrth fyned deced â'r dydd

Yma mae'r bardd yn pwysleisio mor hardd oedd hi yn ei dillad gorau wrth ailadrodd y cytsain 'd' yn y ddau air allweddol **d**eced â'r **d**ydd yn pwysleisio ei phrydferthwch ac yn gwneud y gyffelybiaeth yn fwy cofiadwy.

Y mae'r Gynghanedd Groes yn gosod pwyslais cyfochrog ar ddwy hanner llinell megis yn y llinell yma:

Ei gwên hi a'i gŵn newydd

Y ddau beth trawiadol am y ferch fach oedd prydferthwch 'ei gwên' a'i dillad, wrth wisgo 'ei gŵn newydd'.

Creu patrwm prydferth a wna'r gynghanedd ond o fewn y patrwm hwnnw y mae odl a chyseinedd yn creu pwyslais arbennig ac yn cysylltu geiriau â'i gilydd drwy gyfatebiaeth ag odl. Mae sŵn y geiriau yn rhan hanfodol o'n mwynhad wrth ddarllen cerdd mewn cynghanedd.

∞ *YMARFER*

1) Darllenwch gerddi mewn cynghanedd. Dewiswch linellau lle mae'r bardd wedi defnyddio odl neu gyfatebiaeth i gysylltu geiriau allweddol â'i gilydd a'u cynnwys yn eich *Llyfr Lloffion Llên*.

2) Dewiswch linellau o gynghanedd lle mae sŵn y geiriau yn rhoi mwynhad i chi wrth eu darllen a'u rhoi yn eich *Llyfr Lloffion Llên*.

Rhai Mesurau Caeth

Y Cywydd

Cwpledi odledig mewn cynghanedd yw'r cywydd gydag un llinell yn gorffen yn acennog a'r llall yn ddiacen fel hyn:

> Y mae gwylanod y *môr*
> A ddôn fil i ddwyn f'*elŏr*.

Yn y cyfnod cynnar pan oedd beirdd fel Dafydd ap Gwilym yn defnyddio mesur y cywydd roedd yr ystyr a'r frawddeg yn rhedeg ymlaen o un cwpled i'r llall. Gan fod ail hanner y llinell yn aml yn sangiad, heb fod yn rhan hanfodol o'r stori, y ffordd orau o wybod y stori mewn cywydd fel *Trafferth Mewn Tafarn* yw darllen popeth ar ddechrau pob llinell gan symud ymlaen at y llinell nesaf pan ddewch at atalnod! Dyma Dafydd yn disgrifio'i hun yn cwympo yn y tywyllwch wrth fynd at ei gariad:

> Cefais, *pan soniais yna,*
> Gwymp dig, *nid oedd gampau da;*
> Haws codi, *drygioni drud,*
> Yn drwsgl nag yn dra esgud.
> Trewais, *ni neidiais yn iach,*
> Y grimog, *a gwae'r omach,*
> Wrth ystlys, *ar waith ostler,*
> Ystôl groch ffôl, *goruwch ffêr.*[24]

Sef mewn iaith heddiw "Cefais gwymp cas. Mae'n haws codi yn lletchwith nag yn gyflym. Trawais fy nghoes wrth ochr stôl a gadwodd sŵn uchel, ffôl."

Mewn cyfnod diweddarach aeth beirdd ati i greu cywyddau nad oedd yn ddim mwy na chyfres o gwpledi prydferth wedi eu llinynnu wrth ei gilydd. Dyma enghraifft o waith Dafydd Nanmor yn galaru ar ôl colli ei gariad:

> Os marw hon yn Is Conwy
> Ni ddylai Mai ddeilio mwy.
> Gwywon yw'r bedw a'r gwiail,
> Ac weithian ni ddygan ddail.[39]

Yr Englyn Unodl Union

Os na fedrwch chi gofio englyn — anghofiwch e!

Pennill o bedair llinell gyda'r un odl, gydag ychwanegiad at y llinell gyntaf, sef y cyrch, i dorri ar undonedd yw hwn. Mewn englyn, rhaid llunio pedair llinell mewn cynghanedd ar yr un odl a'r sillafau yn llinellau 10, 6, 7 a 7. Dyna pam fod naw deg y cant o englynion yn englynion naill ai ddim yn rhedeg yn llyfn neu'n cynnwys geiriau a wthiwyd i mewn er mwyn cael cynghanedd neu odl!

Pan fydd bardd da yn defnyddio'r englyn mae'n darllen yn rhwydd ac yn gofiadwy iawn:

> I'r addfwyn rhowch orweddf**a** mewn oer Fawrth
> Mewn rhyferthwy Gae**a**;
> Rhowch wedd wen dan orchudd i**â**,
> Rhowch dynerwch dan eir**a**.[10]

Hir a Thoddaid

> *Yn llaw meistr – mesur tlysineb*
> *Yn llaw bardd gwael – trychineb!*

Llinellau hir o ddeg sillaf yn odli sydd yma. Mae'r cwpled olaf yn wahanol am fod y brifodl o fewn y llinell olaf ond un, a diwedd y llinell yn odli gyda chanol y llinell olaf.

Doedd R. Williams Parry ddim yn hoff iawn o'r mesur ac mae'n dweud, "nid oes fesur mwy byddarol yn nwylo'r neb nad yw'n feistr arno. Y mae fel caniad trombôn ar flaen gorymdaith… os bu'r mesur hwn o werth awenyddol erioed, goroesodd ei ddefnyddioldeb weithian." Eto mae beirdd da megis T. Gwynn Jones wedi defnyddio'r mesur yn effeithiol wrth ddisgrifio Ynys Afallon:

> Yno mae tân pob awen a gan**o**,
> Grym hyder awch pob gŵr a ymdrech**o**;
> Ynni a ddwg i'r neb fyn ddiwyg**io**,
> Sylfaen yw byth i'r sawl fyn obeith**io**;
> Ni heneiddiwn tra'n nodd**o** – mae gwiw f**oes**
> Ac anadl eini**oes** y genedl yn**o**.[3]

Dyma enghraifft lwyddiannus o'r cyfnod modern gan Meirion Macintyre Huws yn cloi ei Awdl *Gwawr*:

> Ynom yr ifanc, mae'r grym a'r afi**aith**
> i gynnau'r galon drwy wyll estroni**aith**.
> Ynom mae maboed yn fflam o ob**aith**,
> ac ynom ni mae'r goleuni glanw**aith**.
> Ynom yn wawr mae ein hi**aith** yn dan**au**,
> yn ffair o ol**au**, yn effro eilw**aith**.

Ateb Cwestiwn Gwerthfawrogi

Y cam cyntaf yw canolbwyntio ar y gerdd/detholiad o ryddiaith a darllen y cyfan yn ofalus iawn. Mae angen darllen y darn gosod rhyw **dair gwaith** er mwyn rhoi sylw i:

i) Ystyr   ii) Themâu   iii) Arddull

Y darlleniad cyntaf

Dyn y galon yw'r bardd ac yn ei gerddi mae'n mynegi ei deimladau.

Y cam cyntaf yw ceisio darganfod **ystyr** y geiriau yn y gerdd er mwyn dod o hyd i'r teimlad sydd tu ôl i'r gerdd – dyma'r allwedd i **thema'r gerdd.**

Ceisiwch ysgrifennu ar waelod y dudalen: y teimlad/ neges/ thema'r gerdd mewn brawddeg neu ddwy.

Yr ail ddarlleniad

Wrth ddarllen yr ail dro tanlinellwch y rhannau hynny o'r gerdd sy'n mynegi'r thema/ teimlad/ a naws. Nid yw tanlinellu'n ddigon. Rhaid i chi hefyd nodi **sut** neu **pam** mae'r darnau a danlinellwyd yn bwysig. Cofiwch fod yn rhaid cefnogi eich ateb gyda **dyfyniadau** o'r testun a bydd y nodiadau a wnewch ar yr ochr yn help mawr i chi.

Y trydydd darlleniad

Chwiliwch am **batrwm** neu **olion crefft** yn y gerdd. Wrth greu cerdd mae'r bardd yn gwau edafedd o batrymau allan o eiriau, pob un gyda lliw a lle gwahanol er mwyn cael brethyn cyfan. Mae ffurf y gerdd – llinellau byr/hir, ailadrodd, odlau a dialog – yn gwneud patrwm amlwg. Nid damwain yw dewis y bardd o eiriau; mae popeth sydd yn y gerdd yno am reswm arbennig.

Llunio Traethawd

Pan fyddwn yn darllen darn o farddoniaeth neu ryddiaith mae nifer fawr o bethau yn corddi yn ein meddwl – ran amlaf heb unrhyw ffurf neu drefn.

Y cam cyntaf yw rhoi trefn ar ein syniadau. Rhaid eu dosbarthu mewn blychau ac os nad oes digon o le mewn un blwch yna rhaid cael dau flwch i'r un syniad neu thema.

Y paragraff yw'r allwedd i greu traethawd trefnus. Defnyddiwch bob paragraff fel blwch i ddal un peth arbennig

Y ddau baragraff pwysicaf yw'r **cyntaf** a'r **olaf**.

Y paragraff cyntaf

Dylai'r paragraff cyntaf fod yn baragraff cyffredinol. Dyma lle dylech chi ddweud beth yw thema neu neges y gwaith a chanolbwyntio ar roi braslun byr iawn o'r hyn sy'n bwysig yn y gerdd a'i phrif nodweddion.

Y paragraff olaf

Dyma'r peth olaf y bydd yr arholwr yn ei ddarllen cyn rhoi marc i chi. Rhaid osgoi ailadrodd yr hyn a ddywedwyd eisoes, felly ceisiwch gadw un pwynt da ar gyfer y paragraff hwn gan geisio gosod y cyfan mewn cyd-destun eangach a dangos ei arwyddocâd cyffredinol.

Paragraffau yng nghorff y traethawd

Y peth pwysig gyda phob paragraff unigol yw gofalu ei fod yn drefnus a'i fod yn delio ag un agwedd yn unig.

Rhaid defnyddio **dyfyniadau byr o'r testun** i gefnogi'r hyn rydych chi'n ei ddweud. Mae'r testun yno o'ch blaen chi a'r dyfyniadau rydych chi eu heisiau yno yn disgwyl i chi eu defnyddio! Rhaid gwau'r dyfyniadau i mewn i'ch ateb fel bod y cyfan yn darllen yn llithrig a naturiol.

Rhowch **eich dadleuon chi** dros esbonio pam y defnyddiwyd y geiriau arbennig rydych chi'n eu dyfynnu a dweud a ydyn nhw'n effeithiol.

Trafod arddull

Nid yw mynd drwy'r testun a chofnodi'r dyfeisiau llenyddol yn ddigon da. Rhaid i chi ddadansoddi pam mae'r bardd wedi defnyddio'r ddyfais arbennig ac esbonio **a yw'r ddyfais yn effeithiol** a pha swyddogaeth sydd iddi yng ngwead cyfan y gerdd.

Trafod thema/cyfeirio at weithiau eraill

Bydd yr arholwr yn disgwyl i chi ddangos eich bod yn gwerthfawrogi cynnwys y gerdd, sef neges y bardd a'r teimlad a fynegir yn y gerdd. Rhaid i chi hefyd fedru cyfeirio at weithiau beirdd eraill gan ddangos sut maen nhw'n debyg neu'n wahanol yn eu ffordd nhw o drin yr un thema. Unwaith eto disgwylir i chi roi dyfyniadau byr.

Cynllunio traethawd

Mater syml o roi trefn ar eich syniadau a'r hyn rydych chi am ei ddweud yw ysgrifennu traethawd.

Y cam cyntaf yw rhoi trefn ar ein syniadau fel hyn. Rhaid eu dosbarthu mewn blychau ac os nad oes digon o le mewn un blwch yna rhaid cael dau flwch i'r un syniad neu thema.

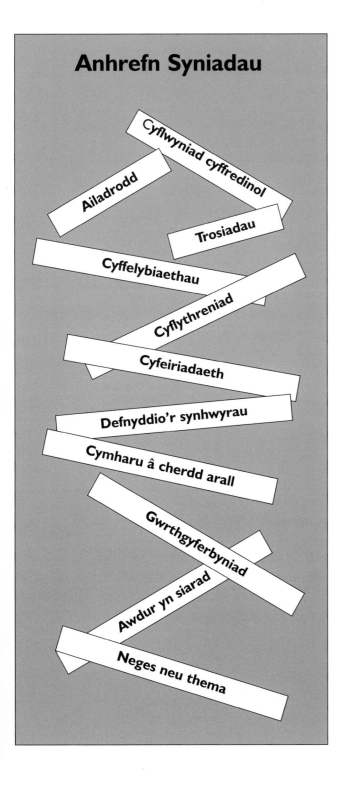

Anhrefn Syniadau

Cyflwyniad cyffredinol

Ailadrodd

Trosiadau

Cyffelybiaethau

Cyflythreniad

Cyfeiriadaeth

Defnyddio'r synhwyrau

Cymharu â cherdd arall

Gwrthgyferbyniad

Awdur yn siarad

Neges neu thema

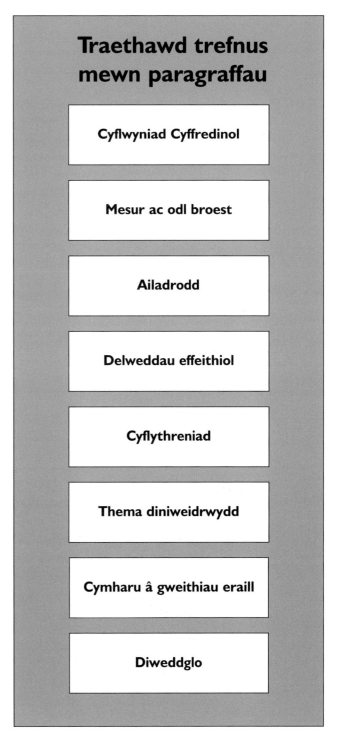

Traethawd trefnus mewn paragraffau

Cyflwyniad Cyffredinol

Mesur ac odl broest

Ailadrodd

Delweddau effeithiol

Cyflythreniad

Thema diniweidrwydd

Cymharu â gweithiau eraill

Diweddglo

Y gerdd sy'n cael ei thrafod

Nadolig (I Huw)

Mae'n Nadolig eto…
Tawdd fel pelen eira fy nghalon yn fy nghorff,
hon a fu'n eiddo i ddegau (y Nadolig a'u geilw i gof)
hon a fu'n chwerthin a chwarae iddynt hwy, hudoles a slaf,
a hwythau'n dyfalu ai nef, annwn, siwgr neu sarff
oedd o'i mewn… Mae'n Nadolig eto.

Pigaf gneuen rhwng deuddant … Hwyl, hogyn!
Duw a'th roddodd a phum golau, dy gaer o graceri.
Wyt Adda ac Adda'r Ail; rhwng y sgiw a'r sgwleri
mae d'Eden a'th Fethlehem. O'u ffynhonnau, ŷf!
Pigaf innau'r gneuen sych . . O, na fedrwn goelio
fod Santa Clos dan y clogyn!

Ond ni wedda i'm ffydd na'm hymennydd mwy
ffug; ni hed fy nychymyg i ar chwa
i'r ogofau. Ogof wyf. Rhewfysedd yn dripian
oriau, gwacter fel tafod yn sipian,
oriau a gwacter heb goffrau, môr-ladron, Aladin, da-da.
Dim – ond y belen eira'n toddi. Eiliad neu ddwy

ni bydd… Hogyn, mae'n Nadolig eto!
Wyt Dduw. Dywedi: 'Bydded goleuni, pinc, brown, gwyrdd,
ambr, melyn a glas';
a goleuni a fydd. Eiddot ti yw'r bydoedd – mewn bocs!
Minnau, ni welaf Gwlifer yn gaeth na Sinderela'n ei rhacs;
cerddaf luwch-eira'r Nadoligau. Ailgeisiaf yr ias.
Ond cracia di'r craceri, Huw bach!… Mae'n Nadolig eto.

Traethawd enghreifftiol

Thema'r gerdd yw trasiedi colli diniweidrwydd plentyndod a'r gwrthgyferbyniad rhwng diniweidrwydd a dychymyg plentyn ac anallu oedolyn i fwynhau'r Nadolig.

Cerdd am y Nadolig yw hon ond mae'n gwbl wahanol i gerddi Nadoligaidd arferol lle darlunir eira, Siôn Corn a rhamant y Nadolig. Mae'n wahanol hefyd i'r cerddi sy'n dychanu ein Nadolig materol. Monolog yw'r gerdd, gyda'r bardd yn cyfarch ei fab Huw, ac yn darlunio'r gwahaniaeth rhwng agwedd plentyn ac agwedd oedolion at y Nadolig. Darlunio tristwch colli diniweidrwydd a brwdfrydedd plentyndod a wneir drwy wrthgyferbynnu agwedd sinigaidd y bardd ei hun sy'n gweld y cyfan yn wag a diystyr ac agwedd ei fab sy'n gweld yr ŵyl fel adeg o gyffro a llawenydd.

Telyneg yw'hon ond mae rhai o'r odlau yn wahanol i odlau arferol. Proest yw rhai o'r odlau. Odlir 'ngh**orff** a 's**arff** a 'g**of** a 'sl**af**. Mae'r gerdd yn orlawn o ddyfeisiau llenyddol – yn wir efallai bod gormod o ddyfeisiau yma ac y byddai cerdd symlach mwy uniongyrchol yn fwy effeithiol.

Un o brif ddyfeisiau'r gerdd yw ailadrodd. Gwelwn fod 'Mae'n Nadolig eto' yn cael ei ailadrodd ar ddiwedd y pennill cyntaf, yng nghanol y gerdd, ac ar ei diwedd hefyd, ac mae hyn hyn rhoi undod i'r gerdd drwy glymu'r dechrau a'r diwedd. Ailadroddir hefyd *'pigaf gneuen'* gan ychwanegu'r ansoddair *'sych'* sy'n air awgrymog ac yn symbolaidd gan ei fod yn cyfleu methiant y bardd i fwynhau pleserau'r Nadolig. Ailadroddir hefyd y patrwm geiriol *'Hon a fu'n...'* sy'n pwysleisio ei fod yn rhoi ei galon i lawer a'i fod wedi colli ei ddiniweidrwydd. Ceir ailadrodd patrwm geiriol yn y trydydd pennill hefyd 'gwacter' ac mae ailadrodd *'gwacter'* yn pwysleisio nad oes yn y Nadolig ddim hud i'r bardd ei hun.

Effeithiol iawn yw'r defnydd o ddelweddau sy'n gysylltiedig â'r Nadolig ei hun megis y gyffelybiaeth,

> 'Tawdd **fel pelen eira** fy nghalon yn fy nghorff.'

ac mae'r trosiad am fynd yn ôl drwy atgof i Nadoligau'r gorffennol yr un mor drawiadol,

> **'Cerddaf luwch eira'r Nadoligau'**

Does dim amheuaeth mai'r trosiad mwyaf cofiadwy a sioclyd yw'r trosiad estynedig,

> **'Ogof wyf.** Rhewfysedd yn dripian.'

Mae *'ogof'* yn cyfleu tywyllwch a gwacter yn ardderchog. Trosiad effeithiol arall yw pum golau i gyfleu pum synnwyr plentyn ac mae'n gwrthygferbynnu gyda throsiad yr ogof ac yn cyfleu i'r dim agwedd wahanol llawen y plentyn at y Nadolig a gwacter trist y tad.

Mae hon yn gerdd gofiadwy ac yn apelio at y glust. Un rheswm am hyn yw'r defnydd helaeth o gyflythreniadau megis 'cracia di'r craceri', 'rhwng y sgiw a'r sgwleri' dy 'gaer o graceri', 'y bydoedd mewn bocs'. Mae defnydd y bardd o linellau hir megis, 'Wyt Dduw. Dywedi: "Bydded goleuni, pinc, brown, gwyrdd, ambr glas a melyn' yn rhoi cyfle iddo bwysleisio'r lliwiau cynnes, ac mae'r modd mae'n rhedeg y trydydd pennill ymlaen i'r olaf yn rhoi llithrigrwydd soniarus i'r gerdd. Celfydd iawn yw'r ffordd mae'r bardd yn torri'n sydyn ar y rhediad llithrig yma drwy gyfrwng toriad sydyn megis "Ogof wyf." Dyma ffordd gelfydd iawn o bwysleisio prif ddelwedd y gerdd.

Defnyddiodd y bardd eiriau sy'n cyfleu goleuni a hefyd mae yma liwiau er mwyn darlunio llawenydd a hapusrwydd a rhamant y Nadolig i'r plentyn, *'pinc, brown, gwyrdd, ambr, melyn a glas'*. Mae'r defnydd yma o oleuni a lliw yn atgyfnerthu'r gwrthgyferbyniad rhwng agwedd plentyn ac agwedd oedolyn at y Nadolig. Y gwrthgyferbyniad yma yw prif thema'r gerdd. I'r oedolyn sinigaidd mae'r Nadolig yn wag o ystyr a llawenydd *'gwacter heb goffrau, môr ladron, Aladin, da da'*. Mae'r gwrthgyferbyniad rhwng y goleuni a'r lliwiau a delweddau *'Ogof wyf.'* Rhewfysedd yn dripian' yn drawiadol iawn.

Teimlaf fod y syniad o ddarlun o ddiniweidrwydd plentyn a'i allu i fwynhau bywyd yn y gerdd hon yn debyg iawn i thema 'Dacw'r Môr' gan Gwyn Thomas. Yn y gerdd honno mae'r bardd yn darlunio'r modd y mae plentyn yn mwynhau diwrnod ar lan y môr gyda phopeth yn destun rhyfeddod a llawenydd iddo. Y prif wahaniaeth yn y gerdd hon yw fod y bardd hwn yn gwrthgyferbynnu llawenydd y plentyn gyda'i siniciaeth ef ei hun a'i anallu i fwynhau'r ŵyl. Pwysleisia dro ar ôl tro iddo golli ei ddiniweidrwydd a'i lawenydd, 'O, Na fedrwn goelio fod Santa Clos dan y clogyn' a 'Ni welaf Gwlifer yn gaeth na Sinderela'n ei rhacs.' Roedd yr hiraethu am ddiniweidrwydd plentyn yn fy atgoffa hefyd o gwpled Dewi Emrys, "Na syrthied llun yfory / Ar antur plentyn llon. Fe'i sobrir yn rhy gynnar…" sef gweld adeg hapus plentyndod fel rhywbeth gwerthfawr cyn dyfod cysgodion a thrafferthion bywyd.

Mae hon yn gerdd rymus a chrefftus. Defnyddir nifer fawr o ddyfeisiau llenyddol gyda phob un yn cyfleu neges ganolog y gerdd o dristwch colli diniweidrwydd a dychymyg plentyndod a'r gallu i fwynhau bywyd. Mae hon yn fwy na cherdd am y Nadolig – mae'n dweud rhywbeth sylfaenol am fywyd ac mae'r angerdd a'r teimlad cryf tu ôl i'r cyfan yn cyfleu'r thema o dristwch ein diniweidrwydd coll yn ardderchog.

Gwendidau i'w hosgoi mewn traethawd

Diffyg trefn

Y prif ddiffyg yw methu trefnu eich syniadau. Rhaid i chi ddefnyddio eich paragraffau er mwyn rhoi agwedd wahanol ar eich ateb ymhob paragraff.

Malu awyr

Peidiwch â malu awyr a cheisio defnyddio geiriau gwag i guddio'r ffaith nad ydych yn deall y gerdd! Gwell yw i chi roi eich ymateb gonest chi. Does dim sy'n gwneud arholwr yn fwy dig na malu awyr!

Diffyg dyfyniadau a chyfeirio at y testun

Wrth drafod arddull **rhaid i chi gefnogi pob gosodiad gyda dyfyniadau / neu dystiolaeth o'r testun.** Mae gwneud gosodiadau heb hyn yn ddiwerth.

Diffyg dweud 'pam'

Pan fyddwch chi'n trafod arddull dyw hi ddim yn ddigon da i chi ddweud: 'Mae ailadrodd yn y gerdd'. **Rhaid i chi ddweud pam**. Dywedwch beth yw pwrpas ac effaith yr ailadrodd.

∞ YMARFER SYNOPTIG

1) Pa gerddi am y Nadolig rydych chi wedi eu darllen? Trowch at waith beirdd megis Gwyn Thomas ac Iwan Llwyd am enghreifftiau.

2) Ym mha ffordd maen nhw'n debyg ac yn wahanol?

3) Ydych chi wedi darllen cerdd neu ryddiaith am golli diniweidrwydd?

4) Gellwch droi at gyfrolau Kate Roberts a Sonia Edwards am enghreifftiau o golli diniweidrwydd mewn rhyddiaith.

Mynegai i'r dyfyniadau

1 Dewi Emrys: Cerddi'r Bwthyn, Y Cwm Unig; Gomer
2 I. D. Hooson: Cerddi a Baledi, Y Gwin a Cherddi Eraill; Gee
3 T. Gwynn Jones: Caniadau; Hughes a'i fab
4 T. H. Parry Williams: Detholiad o Gerddi; Gomer
5 Llywarch Hen a Heledd: Canu Llywarch Hen; Prifysgol Cymru
6 Saunders Lewis: Blodeuwedd; Gee
7 Sarnicol: Blodau'r Drain Duon, Cytiau Cwta; Llyfrau'r Dryw
8 Idwal Jones: Cerddi Digri; Gomer
9 T. Llew Jones: Sŵn y Malu; Gomer
10 R. Williams Parry: Yr Haf a Cherddi Eraill, Cerddi'r Gaeaf; Gee
11 Hen Bennill: Hen Benillion Aberystwyth
12 Williams Pantycelyn: Caneuon Ffydd
13 Idwal Jones: Cerddi Digri; Gomer
14 Rhydwen Williams: Y Ffynhonau a Cherddi Eraill, Barddoniaeth Rhydwen Williams; Dryw
15 Edward Richard
16 John Morris Jones: Caniadau John Morris Jones; Rhydychen
17 Waldo Williams: Dail Pren Gomer
18 T. Rowland Hughes: Cân neu Ddwy; Gee
19 Aneirin: Canu Aneirin; Prifysgol Cymru
20 Taliesin: Canu Taliesin: Prifysgol Cymru
21 B. T. Hopkins: Rhos Helyg a cherddi eraill; Cyhoeddiadau Cymreig Modern
22 Cynan: Cerddi Cynan; Y Brython
23 W. J. Gruffydd: Ynys yr Hud a Chaneuon Eraill; Caerdydd
24 Dafydd ap Gwilym: Gwaith Dafydd ap Gwilym; Prifysgol Cymru
25 Siôn Cent: Siôn Cent; ab Owain
26 Gruffydd ab yr Ynad Goch: Traddodiad Barddol; Prifysgol Cymru
27 Eben Fardd: Eben Fardd ab Owain
28 Sion Brwynog
29 Meilyr: Llawysgrif Hendregadredd
30 Eifion Wyn: Telynegion Maes a Môr; Caerdydd Caniadau'r Allt; Foyles
31 Dyfnallt Morgan: Y Greal a Cherddi Eraill
32 Robert ap Gwilym Ddu: Blodeugerdd Rhydychen
33 William Griffiths
34 Dylan Iorwerth: Blodeugerdd Barddas o Englynion Cyfoes; Barddas
35 Eirug Wyn: Yr Awen Ysgafn, Dryw
36 Tîm Talwrn Caerdydd: Pigion y Talwrn; Gwynedd
37 Iolo Goch: Gwaith Iolo Goch; Prifysgol Cymru
38 Goronwy Owen: Blodeugerdd Rhydychen
39 Dafydd Nanmor: Blodeugerdd Rhydychen
40 Ieuan Wyn: Llanw a Thrai; Gwalia
41 Hedd Wyn: Cerddi'r Bugail; Hughes
42 Gwilym R Jones: Cerddi Gwilym R; Y Faner
43 Iorwerth Peate: Plu'r Gweunydd; Brython
44 Einir Jones: Gwallt Medi; Gwynedd, Daeth Awst, Daeth Nos; Barddas
45 Harri Webb: Blodeugerdd o Farddoniaeth Gymraeg; Barddas/Gomer
46 Aled Jones Williams: Pryddest 'Awelon' Eisteddfod Genedlaethol 2002
47 Dafydd Rowlands: Meini; Gomer
48 Gerallt Lloyd Owen: Cerddi'r Cywilydd; Tir Iarll, Cilmeri a Cherddi eraill; Gwynedd
49 Arfon Williams   Annus Mirabilis, Cerddi Arfon; Barddas

50 Tudur Aled: Gwaith Tudur Aled; Prifysgol Cymru
51 Nia Medi: Cerddi'r Stomp
52 Huw Llewelyn Williams: Yr Awen Ysgafn; Dryw
53 Glyn Roberts: Yr Awen Ysgafn; Dryw
54 Anhysbys
55 Meirion MacIntyre Huws: Y Llong Wen; Carreg Gwalch
56 Llywelyn ap Gutun   Yr Awen Ysgafn; Dryw

Rhyddiaith

Rhyddiaith

"Er bod iaith yn reddf, nid felly iaith ysgrifenedig... dyfais ffug yw ysgrifennu sy'n cysylltu gweld a iaith."
Steven Pinker

Trin geiriau yr un fath â'r bardd a wna'r llenor sy'n ysgrifennu rhyddiaith. Yr unig wahaniaeth yw nad crefft lafar yw rhyddiaith ond crefft ysgrifenedig. Perthyn i fyd y glust a'r galon yn bennaf y mae barddoniaeth, ond mae rhyddiaith yn ymwneud fwy â byd y gweld a'r deall.

Arddull

Arddull yw dewis awdur o eiriau a'i ddull o greu brawddegau a pharagraffau. Mae modd dysgu crefft ysgrifennu, ond o'r dyfnderoedd tu fewn i'r llenor y daw ei arddull. Mae gan lenor da feistrolaeth ar iaith a didwylledd sy'n llosgi fel tân ynddo, felly bydd ei lofnod arbennig ef ar bob tudalen o'i waith. Mynegiant o bersonoliaeth awdur yw ei arddull.

Dewch i ni gael edrych ar y modd y bydd llenor yn trin geiriau, brawddegau a pharagraffau.

 YMARFER

Edrychwch ar y mathau gwahanol o arddulliau a ffurfiau rhyddiaith yn *Hwyl Ysgrifennu*. Trafodwch pa ffurfiau sy'n:

1) fwyaf tafodieithol ac agos at yr iaith lafar
2) oeraidd, ffeithiol
3) emosiynol, gynhyrfus
4) rhoi cyfle i lenor bortreadu'r natur ddynol.

Y frawddeg yw'r uned sylfaenol

*"Ffordd o frawddegu yw arddull… fe ellir dweud am holl lenorion iaith
'Wrth eu brawddegau yr adnabyddwch hwynt'."*

Islwyn Ffowc Elis

Wrth drin geiriau mewn rhyddiaith yr uned sylfaenol yw'r frawddeg.

Mae'r frawddeg mewn rhyddiaith yn llifo'n naturiol yr un fath â brawddeg lafar, ond nid geiriau yn eu gwisg bob dydd yw geiriau'r llenor. Y gwahaniaeth mawr yw bod brawddegau'r llenor yn unedau cyflawn caboledig. Mae brawddeg lafar yn aml iawn yn herciog, diddilyniant, pytiog ac anorffen. Yn ogystal â hyn, bydd llenor yn trefnu'i eiriau o fewn y frawddeg er mwyn gosod ffurf iddi a phwysleisio geiriau arbennig.

Nid uned naturiol yw'r frawddeg ryddiaith felly, ond creadigaeth yr un mor annaturiol â llinellau'r bardd. Rhaid i ni gofio serch hynny mai rhywbeth llafar yw iaith yn ei hanfod ac mai o'r llafar hwnnw y daw pob ffurf ysgrifenedig.

Crefft creu brawddegau yw crefft sylfaenol y llenor rhyddiaith – sef y grefft o osod undod a dilyniant a llif o ystyr i frawddegau.

Trefn naturiol y frawddeg Gymraeg

Cyfres o eiriau mewn trefn arbennig sy'n mynegi syniad cyflawn yw brawddeg. Yn Gymraeg mae'r frawddeg yn dilyn y drefn neu'r patrwm yma:

Prynodd	**Dafydd**	**gar**
berf	*goddrych*	*gwrthrych*

Fel arfer fe fydd brawddeg yn cynnwys llawer mwy na hyn. Dyma enghraifft:

Prynodd	**Dafydd**	**gar**	**newydd**	**yn**	**y**	**sioe**	**ddoe**
berf	*goddrych*	*gwrthrych*	*ansoddair*	*arddodiad*	*y fannod*	*enw*	*adferf*

Y ferf – calon y frawddeg

Y ferf yw'r gair sy'n gweithio galetaf yn y frawddeg – fe fydd nid yn unig yn dweud pwy sy'n gwneud rhywbeth, ond hefyd yn dweud pryd mae rhywbeth yn digwydd. Yn ogystal â hyn oll, mae'n ein cyfeirio ni at eiriau eraill yn y frawddeg.

Gellir cymharu gwaith y ferf yn y frawddeg â gwaith y galon yn y corff – y ferf yw rhan allweddol y frawddeg sy'n rhoi bywyd a gwaed i bob rhan arall ohoni. Gan amlaf, fe fydd y ferf yn gweithio'n ddisylw heb i ni sylweddoli ei bod yno. Er enghraifft, pan fydd ansoddeiriau yn hoelio ein sylw mae'r ferf eisoes wedi ein cyfeirio at y geiriau mae'r ansoddeiriau'n eu disgrifio:

> Gwthiodd yr athro creulon ei wyneb coch, hyll o flaen fy nhrwyn.

 YMARFER

Er mwyn deall sut mae pob rhan o'r frawddeg yn gweithio, darllenwch *Crefft Ysgrifennu* tudalennau 13-33.

Adeiladu ac Amrywio Brawddeg

Tair ffordd sydd o amrywio'r frawddeg sylfaenol:

- newid trefn y frawddeg
- tocio brawddeg a chreu brawddeg heb ferf
- ychwanegu at y frawddeg

Newid trefn y frawddeg

Trefn naturiol y frawddeg yn Gymraeg yw gosod y ferf yn gyntaf fel hyn:

Ciciodd Ieuan y bêl.

Mae dechrau brawddeg yn bwysig iawn ac os yw awdur yn dymuno pwysleisio geiriau arbennig – y lle naturiol i roi'r geiriau hynny yw ar y dechrau:

Ieuan giciodd y bêl.

Symud geiriau i ddechrau brawddeg – er mwyn eu pwysleisio

Bydd bardd fel arfer yn pwysleisio gair drwy ei roi ar ddiwedd llinell, ond mewn rhyddiaith y ffordd orau o greu pwyslais yw gosod geiriau ar ddechrau brawddeg:

Anhapus fu Mair o ddydd cyntaf ei phriodas.
Teganau oedd ei geir a'i geffylau a'i ferched prydferth.
Dringo i ben y domen a bod yn gyfoethog a hunanblesera oedd unig nod plant Thatcher.
Eluned Morgan, medden nhw, yw'r wraig fwyaf diddorol yn holl hanes Cymru.

Er hyn, mae modd pwysleisio drwy osod gair neu eiriau ar ddiwedd brawddeg fel hyn:

Er i John Jones siarad yn huawdl am yr hyn y byddai e'n ei wneud pe bai'n ennill yr etholiad; pensiynau i'r henoed, y cae chwarae i'r plant – dim ond un peth oedd yn bwysig iddo, **John Jones.**

 YMARFER

Darllenwch dudalen 61 o *Crefft Ysgrifennu* a gwnewch yr Ymarferion Creadigol.

Tocio brawddeg – creu brawddeg heb ferf

Weithiau bydd llenor yn gadael y ferf allan o'r frawddeg gan adael dim ond y sgerbwd marw, sef y geiriau unigol:

> **Milwyr, morwyr, beirdd, actorion, penseiri.**[2]
> Hoffai gadw pethau. **Lluniau, cardiau, llythyrau, pytiau o'r papur newydd.**

Effaith hyn yw canolbwyntio sylw ar y geiriau hynny gyda sylw cyfartal i bob gair neu ran o'r frawddeg.

> Edrychodd o'i gwmpas. **Un siop, tafarn, rhes o dai, capel, blwch ffôn, blwch post, modurdy, mainc. Dim tŷ bach.**[19]

Pwysleisio **nad oes tŷ bach mewn pentre** a wna Mihangel Morgan â'r dyn druan bron â marw eisiau mynd yno!

> Ni welodd Greta erioed griw mor gymysg gyda'i gilydd. **Dau labrwr ar y dociau, gyrrwr bws, gŵr a gwraig yn athro ac athrawes ysgol, perchennog siop, dwy nyrs, a chlarc yn swyddfeydd y Gorfforaeth.**[2]

Tynnu sylw at yr amrywiaeth o bobl mewn cyfarfod a wna Islwyn Ffowc Elis.

Sylwch ar y modd mae Islwyn Ffowc Elis yn gelfydd iawn yn defnyddio'r frawddeg heb ferf ddwywaith ond gyda'r ail yn creu gwrthgyferbyniad llwyr â'r gyntaf:

> **Chwe darn tenau o fara prin ei fenyn ar blât, diferyn o jam melyn ar soser, dwy deisen siop, tri lwmp siwgwr.** Aeth allan a chau'r drws ar ei hôl. Wrth fwyta, meddyliodd Harri am de Lleifior. **Te cryf a hufen, brechdanau'n feddal gan fenyn ffres, torth frith a theisen gradell, a hynny i bawb.**[2]

Brawddeg bwt – gair neu ddau

Weithiau bydd llenor yn defnyddio brawddeg nad yw'n ddim mwy nag un neu ddau air. Gall y math yma o frawddeg fod yn ddefnyddiol iawn ar gyfer pwysleisio a thynnu sylw:

> Beth mae rheolwr clwb pêl-droed yn ei wneud drwy'r amser? **Gofidio. Cnoi ei ewinedd. Drwy'r amser.**

> Dywedodd wrtho'i hun ei fod wedi lladd merch pan oedd e'n gwneud tua chan milltir yr awr – mwy, efallai. **Gwallgof.** Doedd dim siawns 'da hi. Ond edrychodd o'i gwmpas. Roedd hi'n dywyll i bob cyfeiriad. **Dim tai. Dim ceir.**[19]

Mae'r frawddeg bwt yn effeithiol iawn ar ôl brawddeg hir fel hyn:

> Cyn diwrnod yr etholiad roedd Hubert Humphreys wedi proffwydo wrth bawb y byddai e'n ennill, os na fyddai'n bwrw glaw, a hynny'n cadw'r bobl gyffredin yn eu tai. Fe fwrodd hi'n drwm. **Collodd.**

YMARFER

1) Gwnewch frawddegau'n cynnwys: enwau'n unig; enwau + ansoddeiriau.

2) Gwnewch baragraff gyda brawddeg yn cynnwys un enw'n unig yng nghanol brawddegau eraill i ddisgrifio pob un o'r rhain: rhyfel, ysgol, parti pen-blwydd.

Ychwanegu at y Frawddeg Sylfaenol

Creu brawddegau cymalog

Mae tri math o gymal: cymal adferfol, cymal enwol a chymal ansoddeiriol.

- Gwneud gwaith adferf a wna cymal adferfol sef disgrifio pam neu pryd ddigwyddodd rhywbeth:

   Aeth y ffermwr i'r tŷ **pan ddechreuodd hi fwrw glaw.**

- Gwneud gwaith enw a wna cymal enwol (fel arfer defnyddir bod/fod **er mwyn rhoi rhagor o wybodaeth i ni**):

   Credaf **fy mod i'n well na Heulwen.**

- Gwneud gwaith ansoddair a wna cymal ansoddeiriol, sef **disgrifio rhywun neu rywbeth:**

   Siân yw'r ferch **a gafodd y wobr gyntaf.**

Mae cymalau'n galluogi llenor i greu llawer o amrywiaeth yn nhrefn ei frawddeg. Does dim rhaid i'r cymalau ddod ar ôl y brif frawddeg, gallant ddod o flaen y brif frawddeg a chreu math o uchafbwynt:

   Pan ddaw'r dydd i mi adael yr ysgol, a phan na fydd ganddo unrhyw awdurdod trosof ragor, fe fyddaf yn dweud wrth yr athro ei fod yn hen fwli mawr, hyll.

Gellir cael cymalau o flaen ac ar ôl y brif frawddeg:

   Ar ôl derbyn adroddiadau'r athrawon, ac ar ôl ystyried adroddiad yr heddlu, penderfynwyd diarddel Dafydd o'r ysgol, **cyn y byddai'n gwneud rhagor o fandaliaeth, a chyn i rywun gael ei frifo'n ddifrifol.**

⚏ YMARFER

1) Trafodwch effaith y geiriau mewn italig.

   Tra bo dŵr y môr yn hallt, tra bo'r haul yn dal i godi, a thra bo'r gwynt yn dal i chwythu a'r glaw yn dal i ddisgyn, byddaf yn dy garu.

2) Gwnewch frawddegau hir, drwy ddefnyddio cymalau o flaen y brawddegau. Defnyddiwch rai o'r rhain ar flaen y cymalau: **oherwydd, am fod, er mwyn, ar ôl, wedi, pan, wrth**:

   Eisteddodd i lawr a chrio.

   Cusanodd hi'n dyner ar ei boch.

   Gwaeddodd 'Hwre!' dros bob man.

Adeiladu brawddeg hir er mwyn disgrifio'n fanwl

Gellir creu brawddeg hir drwy osod y brif frawddeg yn gryno ar y cychwyn, er mwyn hoelio sylw'r darllenydd arni, cyn ymhelaethu:

> **Roedd y stafell yn orlawn o bobl yn dathlu'r Nadolig**, gyda llond bws o'r De yn eistedd o flaen aelodau'r clwb pêl-droed lleol yn trafod y gêm bwysig roedden nhw wedi'i hennill y prynhawn hwnnw, nifer o fechgyn a merched lleol yn gwichian a chwerthin a chusanu yn y gornel, a'r mwg yn drwm yn y stafell ac arogl chwys a chwrw yn taro dyn yn y drws.

Weithiau bydd llenor yn defnyddio hanner colon (;) er mwyn rhannu'r frawddeg yn unedau taclus fel hyn:

> Roedd hi'n bictiwr o ferch, gwefusau coch, cusanadwy; llygaid glas, mesmereiddiol; gwallt modrwyog, melyn; croen gwyn, glân; coesau hir, siapus; ac yn bwysicach na dim, Cymraeg glân, gloyw ar ei gwefusau.

Adeiladu brawddeg hir er mwyn creu naws

Disgrifio'n fanwl a wneir mewn brawddeg hir fel arfer, ond gall llenor ddefnyddio brawddeg hir i gyfleu amser yn symud yn araf neu i gyfleu undonedd:

> Digon undonog oedd bywyd yng Nghwm Aber, meddyliodd, fawr o ddewis gan greadur o goliar ond derbyn y sefyllfa, ildio i'w amgylchiadau, heb boeni na mwmian mwy amdanyn nhw. Beth ddiawl arall a fedrai coliar ei wneud pan oedd ganddo deulu i'w gynnal? O dŷ i dŷ, o ffenestri mawr a drysau crand Commercial Street i'r terasau syml, ar wahân i'r gweinidogion a'r dynion busnes ac ambell hen ferch, roedd bywyd yn weddol debyg dan bob to – codi gyda'r wawr, brecwasta, a mynd i'r

gwaith! Clywid tramp y traed ar bob pafin, cyfeiliant caled y boreau, cyn mynd am y lamp, mwgyn arall, mewn i'r caets a disgyn fel bollt i'r gwaelod. Byddai'r rhaffau weithiau'n rhegi'r twllwch fel gwrachod. Cerdded wedyn, hanner awr a mwy, gam ar ôl cam, nes cyrraedd y stâl, tynnu siaced a mwffler a chrys cyn cydio mewn mandrel a rhaw; yna, tyllu, rhwygo, crafu, ar orwedd, ar sefyll, ar bâr o liniau, torri gair, piso, jo o faco, di-dor a diwyd… cyn mynd sha thre! Ac wedi dod sha thre, ymolchi, bwyta, mynd i'r capel, mynd i'r dafarn, mynd i'r ardd, mynd i'r côr, mynd i'r band, mynd am gêm o filiards, neu lan llofft i fwynhau'r gwely dwbl. Ymlaen ac ymlaen ac ymlaen. Rhy hwyr i greadur fel fe newid ei steil mwyach![1]

∞ YMARFER

1) Trafodwch effaith y brawddegau hirion yn y ddau baragraff hyn:

   i) Nid tŷ sy'n gwneud cartref – nid mur a drws a ffenestr ac aelwyd – ond y pethau sydd ynddo, y lliain ar y bwrdd, y pot blodau a'r rhedyn ynddo yn y ffenestr, y papur newydd sy'n ymwthio i'r golwg dan glustog y soffa neu'r gadair freichiau, y Beibl mawr ar gongl y dresel, yr hen het galed a drawyd ar yr harmoniwm, y sbilsen ar ochr y pentan, y got sy'n hongian tu ôl i'r drws. A'r gwaethaf peth yn y byd yw cartref gwag. [11]

   ii) Daliai'r trên i ysgwyd yn gynddeiriog – Trehafod, Pontypridd, Upper Boat, Nantgarw, Taffs Well – a chip ar ddŵr tewddu, tymhestlog Afon Rhondda yn chwil-feddw ar ei thaith a phwll-glo hwnt ac yma yn chwydu ar ei phen a hen wely a hen fatres a hen dwba a hen focs yn mynd gyda'r lli a hen gi marw yn cael ei olchi i'r lan a'r dillad golchi amryliw filltiroedd yn hongian yn anobeithiol ac yn staenio a stampio mor fuan ag y medrai bysedd eu pegio a rhywun yn codi o'i wely a rhywun yn dod allan o'r tŷ bach a rhywun yn chwibanu i gael ei golomennod yn ôl a dynion ar ben-pwll a merched ar ben drws a phlant yn chwara-trwant a baban mewn siôl a hen ddynion ar wal a hen wragedd ar stryd a chapel a thafarn a thŷ a thwlc a gardd a pharc a ffordd a phren a cheffyl a throl a gêr ac olwynion a nefoedd a daear a haul a bryn a mynydd a du a gwyn a glas a choch a gwyrdd a gwyrdd a gwyrdd… a llwyd… a llwch… a thai… a siopau… a phobol.[1]

2) Defnyddiwch frawddegau hir i gyfleu: diwrnod hir o haf; undonedd diwrnod gwaith gwraig tŷ; disgrifiad o berson neu le sy'n arwain at uchafbwynt.

3) Gwnewch yr Ymarferion ar dudalen 68-79 yn *Crefft Ysgrifennu*.

4) Darllenwch *Cyn Oeri'r Gwaed* Islwyn Ffowc Elis a chwiliwch am dair enghraifft o frawddegau hir. Copïwch y brawddegau a'r cyd-destun o'u cwmpas yn eich *Llyfr Lloffion Llên* gan esbonio pam mae'r awdur wedi eu defnyddio a thrafod eu heffeithiolrwydd.

Rhai Patrymau Brawddegol

Adeiladu brawddeg er mwyn pwysleisio'r ferf

Gellir pwysleisio'r ferf drwy ei gosod mewn lleoliad anarferol megis ar ddiwedd brawddeg fel hyn:

> Er iddo addo y byddai'n ennill yr etholiad yn rhwydd, **collodd**.

> Wedi'r misoedd hir o boen a dioddefaint, wedi gwanhau'n raddol ddydd ar ôl dydd, wedi colli pob rheolaeth dros y corff fu unwaith yn gryf, ac wedi drysu o'r meddwl fu unwaith mor llym, **bu farw.**

Gellir pwysleisio'r ferf trwy ddefnyddio berf drosiadol. Dyma rai enghreifftiau o ferfau a berfenwau trosiadol sy'n cael eu defnyddio er mwyn tynnu sylw at yr hyn sy'n cael ei wneud:

> **Yfodd** y cerbyd y ffordd laslwyd i'w grombil.[2]
> Troes yr Athro ei chefn ar yr ysgrifenyddes wrth i honno **forthwylio**'i dicter ar allweddellau ei theipiadur.[19]

> **Chwyrnodd** y bws yn ei flaen i lawr y ffordd gan godi cwmwl o lwch Awst ar ei ôl.

> A'r gwaed yn **piso**'n drwm o'i drwyn.[20]

Pwysleisio berfau drwy ddefnyddio llawer o ferfau a berfenwau

Defnyddir llawer o ferfau a berfenwau er mwyn cyfleu cyffro, symud a gweithgaredd:

> **Dadleuwyd, sgrifennwyd, apeliwyd, eglurwyd, ymresymwyd, erfyniwyd, pregethwyd** – ond yn ofer.

> Doedd Mair ddim fel merched eraill – roedd y merched eraill yn **rhedeg** o gwmpas fel bechgyn, **dringo** wal, **cwffio, rhegi, poeri**.[1]

> Dechreuodd **grensian** ei dannedd... a'i **guro** a'i **leinio** a'i **ffonodio**'n ddidrugaredd.[3]

> **Ffonodiodd** Gladys ef yn orffwyll i farwolaeth, **saethodd** ef, a **chrogodd** ef, **torrodd** ei ben i ffwrdd a **dechreuodd ei guro** wedyn yn ddi-baid.[3]

Pwysleisio'r ferf drwy greu gair newydd

Y ffordd arferol o wneud hyn yw creu berf sy'n air cyfansawdd:

> **Goglais-gnodd** ei chlustiau.[19]

☞ YMARFER

1) Trafodwch grefft ac effaith y canlynol:

    i) Roedd y gwynt yn poeri diferion glaw i'w wyneb a'r awel yn byseddu blodau drain duon y clawdd.[20]

    ii) Roedd y rhingyll yn pystylad ei ffordd drwy'r bobl.[3]

    iii) Ymgladdodd yn y tudalennau canol.

    iv) Yr oedd rhaid sadio. Callio, meddwl a chynllunio. Felly roedd dianc.[3]

    v) Dangosodd yr un amynedd bonheddig wrth roi hyfforddiant yn y gelfyddyd baffio, dyrnu, dawnsio, osgoi, bygwth, temtio, taro nes ei fod yn diferu o chwys.[1]

    vi) Clywaf deiars yn sgrechen wrth ddod rownd y gornel. Un arall ar ei ôl, ac un arall eto'n gwichian a thasgu dŵr i wynebau'r cerddetwyr cwmanog. Fflachia'r goleuadau yn ddidrugaredd, goddiweddyd, codi cyflymdra, a newid gêr. Sgrialu heibio. Aros yn ddiamynedd wrth groesfan, rhefru a rhuthro i ffwrdd fel bo'r goleuadau'n newid, fel petai pris o aur ar amser. Gyrru fel cath i gythraul.[8]

2) Defnyddiwch nifer o ferfenwau/berfau mewn brawddeg i gyfleu: prysurdeb dinas; plant yn rhedeg i ddal bws ac yn wyllt ar y bws; anniddigrwydd neu aflonyddwch person.

3) Defnyddiwch ferfau trosiadol i gyfleu:

    i) mynd yn gyflym/araf

    ii) gweiddi'n uchel

    iii) cerdded yn drwm

4) Nodwch y berfau a'r berfenwau yn y darnau isod:

    i) Agorodd garej, cymerodd stondin-galico yn y farchnad, aeth i werthu a ripario watsis, casglai insiwrin, magodd gŵn, cadwai ddefaid, gwerthai ebolion-mynydd, agorodd sw, aeth yn fet, aeth yn giropodydd, hyfforddai hen ferched a merched ifanc i yrru modur, prynodd feics, riparai weiarles, gwnâi daffi, gwnâi fara-brith ac agorodd siop hen-betha.[1]

    ii) Atebwyd y llythyr, torrwyd y lawnt, talwyd y biliau, chwynwyd yr ardd.[7]

    iii) Dim ond sŵn dyfroedd yn ei chlustiau, dyfroedd meddw yn pwnio'r drws a thorri i mewn i'r tŷ, dyfroedd naturus yn cicio'r cadeiriau a rhoi cweir i'r muriau, dyfroedd dwl yn lluchio cagl a thomenni ar y bwrdd bwyd a'r soffa a'r gadair freichiau.[1]

Torri ar rediad brawddeg

Gellir torri ar rediad brawddeg er mwyn pwysleisio'r hyn a ddywedir o fewn y toriad:

> Mater difrifol oedd gwrth-ddweud Miss Jones mewn pwyllgor – **mater mor ddifrifol â thorri'r gyfraith** – ac nid rhywbeth i'w wneud heb ystyried y canlyniadau.

Gall toriad nad yw'n bwysleisiol gael yr effaith o bwysleisio'r hyn a osodir ar ôl y toriad:

> Mae'r dyn gwyn yn gwybod, **er iddo wadu hynny,** fod y dyn du'n dioddef cam.

> Lan a lawr y grisiau y rhedai'r hen gathod fel mamothiaid blewog. Nawr roedd un o'r pedair – **meddyliai amdanynt fel y pedwar llew tew heb ddim blew, mor afiach oeddynt, roedd y disgrifiad yn addas** – wedi cachu tu allan i ddrws ei ystafell.[19]

Adeiladu brawddeg drwy ailadrodd syniad mewn geiriau gwahanol

Mae ailadrodd o'r math yma'n pwysleisio'r syniad sylfaenol:

> **Syrffed, diflastod, poen meddwl, gofid parhaol, uffern dyddiol** – dyna oedd ysgol i Heledd bellach.

> Roedd hi wedi llwyddo i'm sbaddu i a'i **gwawd**, ei **dirmyg**, ei **sarhad**.[19]

∞ YMARFER

1) Gwnewch ddwy frawddeg yn defnyddio geiriau gwahanol i gyfleu'r un syniad gan ddewis un o'r rhain: llawenydd, diflastod, egni.

2) Trafodwch grefft ac effaith y canlynol:

   i)   Roedd Elfan yn ddyn ysgafn gorff, fel sgerbwd o denau, gydag wyneb gwelw.

   ii) Doedd e ddim yn mynd i ymlacio, llaesu dwylo, magu bloneg am dipyn eto.[19]

   iii) Yr hyn a gyfrifir yn rhinwedd yng ngolwg y cyffredin yw taclusrwydd, neu dwtrwydd – neu ddestlusrwydd, neu drefnusrwydd, neu gymhendod.[19]

Adeiladu brawddeg i greu gwrthgyferbyniad.

Mae gwrthgyferbyniad yn cael ei greu drwy fod geiriau croes eu hystyr yn cael eu gosod yn yr un frawddeg. Os yw'r frawddeg yn fer yna mae'r gwrthgyferbyniad rywsut yn gryfach.

Dyma enghraifft o ddefnyddio gwrthgyferbyniad i **greu dychan a hiwmor**:

> Dyn **bach** mwstas **mawr**.[3]

> Pan fo **tynerwch y gwanwyn** yn y gwynt, mae ef yn **crynu mewn cruglwyth o gotiau**.[2]

Gall gwrthgyferbyniad gyfleu **trasiedi** bywyd:

> Wyneb **ifanc** a aethai'n **hen**.[1]

Gall gyfleu **hiraeth**:

> Yn y munudau hyn, **a'r dyrfa'n parablu a'r lorïau'n chwyrnu a braciau'n sgrechian llond yr awyr fudr o'i chwmpas,** meddyliodd Greta am Leifior, **am yr awyr risial, am y tir tragwyddol yn pelydru dan ei farrug, am yr afon lân, am y coed yn llonydd yn yr heddwch mawr.**[2]

Yn aml iawn **cyfleu dadrithiad neu siom** mae gwrthgyferbyniad:

> Rwy'n cydio mewn wyneb ac yn **mynd i'w gusanu** a'r peth nesa a wn... mae'n **benglog**... a minnau'n **cofleidio sgerbwd**.[1]

Defnyddiodd Islwyn Ffowc Elis yr un patrwm geiriol i wneud y gwrthgyferbyniad yn fwy amlwg:

> **Ffermwyr meinllais y wlad uchaf yn tynnu** coesau'i gilydd mewn llifeiriant o Gymraeg, **ffermwyr swrth y wlad isaf yn siarad** synnwyr anniddorol mewn Saesneg erchyll.[2]

Dyma enghraifft o ddefnyddio nifer fawr o wrthgyferbyniadau mewn brawddeg i greu argraff o amrywiaeth a gwahaniaeth:

> Mae'n **boeth** neu'n **oer**, mae eisiau **glaw** neu hin **sych**, mae'r heffrod yn **ddrud** neu'n **rhad**, ac mae rhywun wedi **marw** neu wedi **priodi** neu wedi'i chawlio hi'n gythgam.[2]

> ### ∞ YMARFER
>
> 1) Trafodwch grefft ac effaith y canlynol:
>
>   i) Trodd y coch dwfn ar wyneb Robert Pugh yn binc gwelw.[2]
>
>   ii) Pan anogai un fi i gyflymu, haerai arall mai doethineb oedd pwyso ar y brêc; pan orchymynnai un basio'r cerbyd o'm blaen, llefai'r llall arnaf gadw yn ôl.[2]
>
>   iii) Rwy'n breuddwydio am fy ngyrfa ac rwy'n gweld y môr a'r ffurfafen a'r tir prydferth a'r byd bach braf sy'n fy nisgwyl... cyn imi ddechrau teimlo'n oer drosof a dihuno i weld mai glaswellt yw fy ngwely a charreg oer fy ngobennydd.[1]
>
> 2) Lluniwch dair brawddeg sy'n cynnwys gwrthgyferbyniad yn cyfleu:
>
>   dychan, tristwch, darlunio golygfa.
>
> 3) Lluniwch wrthgyferbyniad gan ddefnyddio'r un patrwm geiriol wrth ddisgrifio neuadd llawn bwrlwm pobl a neuadd wag.
>
> 4) Lluniwch frawddeg sy'n cynnwys dau wrthgyferbyniad ar batrwm ii) uchod yn disgrifio eich tad a'ch mam yn rhoi cynghorion gwahanol i chi.

Adeiladu brawddeg drwy gyfosod geiriau

Mae modd ychwanegu at ddisgrifiad drwy gyfosod:

> Vatilan, **lleidr llestri hirben a diegwyddor,** oedd yr unig un i Nel ei garu go iawn erioed.
>
> Dyn da oedd Owain, **gŵr bonheddig, milwr dewr, gwleidydd craff, breuddwydiwr mawr.**[20]

> ### ∞ YMARFER
>
> Gwnewch ddisgrifiadau pellach yn y brawddegau canlynol drwy gyfosod:
>
> Dyn drwg, _____, _____, _____, oedd Ifan.
>
> Hi oedd canolbwynt sylw pawb, _____, _____, _____.

Defnyddio patrwm negyddol/cadarnhaol mewn brawddeg

Gellir defnyddio patrwm negyddol/cadarnhaol er mwyn creu gwrthgyferbyniad fel hyn:

Doedd Owain Glyndŵr ddim yn **eithafwr**, roedd e'n **arwr**.

Ond mae modd defnyddio'r un patrwm i bwysleisio'r hyn mae'r negydd yn ei ddweud fel hyn:

Nid **anhapus** oedd plentyndod Stotig Isgis, ond **trychinebus**.[20]

Adeiladu brawddeg drwy ddefnyddio cyfochredd

Ffordd o osod trefn ar ddisgrifiad mewn brawddeg yw gosod disgrifiadau byrion ar yr un patrwm yn gyfochrog:

Ar y palmant, yn y Corner Cafe, yn y Green Lion, yn y mart, yn siop yr eiarmongar, yr oedd Henberth yn ferw undydd.[2]

Does dim rhaid i'r cyfochredd fod yn ddisgrifiadol – gall fod yn bwysleisiol:

Pan fydd llwch ymbelydrol wedi lladd pob aderyn, pan fydd y tir yn anial heb ddim yn tyfu arno, a phan fydd cancr yn ein cnawd pydredig, byddwn yn difaru cefnogi ynni niwclear.

Gellir defnyddio dwy hanner brawddeg i greu cyfochredd:

Hardd ei wedd, cyfaill plant bach.

Mae defnyddio'r un patrwm geiriol yn pwysleisio'r cyfochredd:

Llynnoedd di-ddwfr nad ehedodd aderyn drostynt erioed, moroedd heb drai na llanw na chlywsant gri gwylan na llithriad rhwyf.[2]

↪ YMARFER

1) Gwnewch frawddeg yn defnyddio cyfochredd gan ddefnyddio'r arddodiaid canlynol o flaen eich disgrifiadau cyfochrog: **ar, dan, wrth, tu ôl, o flaen, yn ymyl, gerllaw.**

2) Trafodwch grefft ac effaith yr isod:

   i)   Gwastadeddau lle na thyfodd pren, copaon na orffwysodd cwmwl arnynt.[2]

   ii)   Bro'r mynydd-dir llwm, gwlad y tyddynod tlawd.

   iii)   Wrth ddeffro yn y bore, wrth gwyta'i frecwast, wrth aros am y bws roedd Gwilym yn meddwl am yr arholiad caled o'i flaen.

Gosod brawddegau cyfwerth mewn un frawddeg

Gellir defnyddio'r cysyllteiriau **'a'**, **'ac'**, **'ond'** rhwng y ddwy frawddeg:

> Mae e'n bwyta platiaid mawr o sglodion **ac** yna'n mae e'n bwyta platiaid mawr arall o sglodion.

> Doedd e ddim yn ddigon o chwaraewr i ennill ei le yn y tîm cyntaf, **ond** doedd e ddim yn ddigon call i wybod ei fod yn chwaraewr anobeithiol.

Neu gellir defnyddio colon (:) neu hanner colon (;) rhwng dwy frawddeg:

> Ni fyddai'n golchi ei wallt yn aml; hongiai'r cudynnau seimllyd ar ei war fel cynffonnau llygod mawr.[19]

> Mae Sioned fel rhosyn yr haf: mae hi'n ysgafngorff a gosgeiddig a'i harddwch yn amlwg i bawb.

Gellir hyd yn oed cael tair brawddeg gyfwerth yn gysurus fel hyn:

> Rwy'n bwyta 'nghinio yn yr iard a dim stumog gennyf, **ac** rwy'n ymladd â rhywun wrth y wal, **ac** mae colyn danadl poethion ar fy nghoesau pinc.[2]

✍ *YMARFER*

1) Gwnewch frawddegau cyfwerth mewn un frawddeg i ddisgrifio:

   i) rhywun yn gwneud pethau gwahanol

   ii) golygfa arbennig.

2) Trafodwch grefft ac effaith y canlynol:

   i) Mae dawnsio ifanc ar y gwyrdd ar Galan Mai, a Phiwritaniaeth yn cerdded yr heolydd mewn het bigfain a choler wen.[2]

   ii) Arnaf i roedd y bai; roeddwn i'n byw ar siocled a choffi a sigarennau.[19]

   iii) Fyddaf i byth yn darllen llyfr cyn ei adolygu: byddai hynny'n rhagfarnllyd!

   iv) Roedd hanner cylch y bont yn gylch cyfan yn y dŵr; roedd y mynyddoedd yn las dwfn ac ymhell am ei bod hi'n braf; roedd yr eglwys fechan nid nepell i ffwrdd yn glo tangnefeddus i'r darlun olew.[2]

Adeiladu brawddeg drwy ailadrodd patrwm geiriol

Gall ailadrodd patrwm geiriol fod yn effeithiol iawn.

Rhai'n edmygu, rhai'n gwgu, ond y cyfan yn mynd yn fud.[2]

Cleddyfau'n tincial yn y dafarn, a cheffylau'n chwyrnellu hyd y strydoedd coblog, drewllyd, lle mae'r gwragedd yn rhegi'i gilydd yn aflan o lofft i lofft ar draws y stryd uwchben.[2]

Dyma Islwyn Ffowc Elis nid yn unig yn ailadrodd geiriau ar ddechrau a diwedd brawddeg ond yn ailadrodd patrwm geiriol o fewn y frawddeg:

Cerbyd difai yr olwg arno; **wedi cofleidio ambell drofa'n rhy glos, efallai, wedi bod braidd yn haerllug gydag ambell glawdd neu bont**, ond cerbyd difai yr olwg arno.[2]

Ailadrodd patrwm geiriol mewn dwy frawddeg wahanol

Mae ailadrodd patrwm geiriol mewn mwy nag un frawddeg yn ffordd o bwysleisio'r hyn a ddywedir yn y brawddegau hynny:

Mae Mr Cadwaladr-Prydderch yn meddwl ei fod yn berchen y byd. Ef biau'r car mwyaf yn y dre. **Ef biau'r** plasdy crand gyda'r pwll nofio a'r lawntiau eang. **Ef biau'r** gweision a'r morynion sy'n rhuthro i ufuddhau i'w orchmynion lleiaf. Ond **nid ef biau'r** haul a'r awyr las a'r adar a glan y môr ar ddydd o haf.

✍ *YMARFER*

1) Gwnewch frawddeg lle mae'r un patrwm geiriol yn cael ei ailadrodd dair gwaith i ddisgrifio dinas brysur.

2) Gwnewch ddwy frawddeg ar yr un patrwm geiriol gydag un frawddeg yn cyfleu prysurdeb a symud a'r llall yn cyfleu tawelwch a llonyddwch.

3) Trafodwch grefft ac effaith y canlynol:

   i)   Mae'n rhy fawr i'w anwylo, rhy gryf i'w bitio, rhy fodlon arno'i hun i ennyn cydymdeimlad.[2]

   ii) A'r Sais yw apostol chwarae teg. Ar ba faes bynnag y bo'n ymladd, mae yno ym mhlaid cyfiawnder. Pan fo gwlad o ddynion duon eu crwyn yn galw am ryddid, mae'r Sais a'i danciau yno'n eu rhoi'n eu lle, er mwyn rhyddid. Pan fo nythaid o wŷr goleuach yn ymderfysgu am gyfiawnder, â'r Sais yno'n onest a'u rhoi dan glo, er mwyn cyfiawnder. Beth bynnag a wna, fe'i gwna er lles dynolryw. Mae'i gydwybod yn haearn pur, ac ni all ei gadfridogion na'i bapur fethu byth.[2]

Defnyddio'r negyddol i ddisgrifio mewn brawddeg neu frawddegau

Un ffordd o adeiladu darlun yw defnyddio'r negyddol sawl gwaith fel y gwna Rhydwen Williams:

Ni fedrai wneud dim drosto'i hun. **Ni fedrai** siarad, dim ond crafu rhyw sŵn bach cryglyd o waelod ei gorn-gwddw a'i wthio i gyfeiriad ei wefusau. **Ni fedrai** ymateb i neb na dim, dim ond dwyn cryndod i ymylon ei wefusau am eiliad. **Ni fedrai** edrychiad am fwy nag eiliad neu ddwy, cyn i'w lygaid gau fel llenni bach llwyd yn cau i guddio rhywun blinedig, gwanllyd rhag sylw a chwilfrydedd y byd. I bob golwg, roedd Mr Evans yn ŵr cystuddiol iawn. Roedd Mr Evans yn marw.[1]

Dyma enghraifft arall o waith Robin Llywelyn:

Nid oes sôn am Gartoffl Goch yn chwedloniaeth Canol Ewrop. **Nid oes sôn** amdano ar y cyrion chwaith. Creadur y cysgodion ydyw; **nid hoff ganddo** dramwyo erwau noethion y paith Hwngaraidd ac **nid o ddewis yr â,** ar waelod trai, dros aberoedd tywodlyd y gorllewin. Coeden yw ei gartref a honno'n un â'i gwreiddiau'n ddwfn ym mherfeddion Coed y Graig Lwyd yng Nghymru. Ond **nid pawb** yn y parthau hyn a ŵyr ei hanes. **Nid yw'r sôn** amdano yn wir **nac** yn fynych **nac** yn fawr.[20]

⊙ YMARFER

1) Gwnewch baragraff yn defnyddio llawer o frawddegau negyddol i ddisgrifio un o'r canlynol: Cymro, hipi, dyn busnes neu wraig bwysig.

2) Trafodwch grefft ac effaith y canlynol:

   i) Nid oes gan wybedyn feistr ond ei reddf. Ac ni ŵyr fod honno'n feistr am nad yw byth yn dweud 'Na', byth yn dweud 'Brysia', byth yn dweud 'Paid'. Nid oes ganddo ddyhead na all ei ddiwallu gynted â'i ddyheu. Ni all ddarllen na chloc na symans na gwg...[2]

   ii) Ni ŵyr beth yw blysio modrwy ddiemwnt a modur gloyw. Ni freuddwydiodd am gyflog gwell na thecach. Ni ddihoenodd am fod yn brif weinidog nac yn sant.[2]

   iii) Nid yw'r hen ddewin yn cydymffurfio â'r ddelwedd ystrydebol o hen ddewin; dim het dal bigog, dim mantell, dim hudlath, dim trwyn hir, dim gwallt gwyn a dim barf hir a llaes.[19]

Y Paragraff –
blwch dal brawddegau

Mae pennill yn uned sy'n clymu llinellau bardd, ond mae'r llenor rhyddiaith yn defnyddio paragraffau i gysylltu ei frawddegau. Gall y brawddegau o fewn y paragraff amrywio o ran hyd, ond rhaid iddyn nhw i gyd i fod yn rhan hanfodol o'r paragraff.

Mae crefft adeiladu paragraff yn debyg i grefft saer maen yn adeiladu wal. Rhaid dewis brawddegau o faint a ffurf arbennig ar gyfer pob rhan o'r paragraff a'u gosod yn eu lle i greu cyfanwaith ac undod.

Mae hyd y paragraff yn dibynnu ar bwrpas yr awdur ac ar ei ystyr. Bydd rhywun sy'n ysgrifennu ar gyfer y wasg boblogaidd yn defnyddio paragraffau byr am ei fod yn ofni y bydd ei ddarllenydd yn colli diddordeb wrth ddarllen paragraff hir. Mae ysgolheigion, ysgrifwyr ac eraill yn tueddu defnyddio paragraffau hir er mwyn datblygu syniad neu ddadl neu er mwyn creu disgrifiad manwl.

Undod ystyr yw undod paragraff, ac mae'r undod hwnnw ynghudd yn y brawddegau ran amlaf. Ond weithiau bydd llenorion yn defnyddio patrymau brawddegol i roi undod gweladwy i baragraff.

Defnyddio patrwm arbennig wrth adeiladu paragraff

Gellir defnyddio nifer o batrymau wrth adeiladu paragraff.

Brawddeg fer ar ddechrau paragraff sy'n allwedd i'r cynnwys

Mae modd gosod brawddeg fer ar ddechrau paragraff – brawddeg sy'n allwedd i gynnwys y paragraff:

> **Mi awn i'm hen ysgol.** Nid am fod fy nyddiau ynddi'n rhai hapus. Nid oeddynt. Ond am na allaf anghofio clec y gwynt yn ei ffenestri a ratlan ei drysau wrth gau. Mi edrychais mor amal ar y coed a'r ffriddoedd o'i blaen fel mae perygl imi fynd â hwy gyda mi o'r byd oni allaf fynd yn ôl atynt a'u dryllio yn fy llygaid. Mae gwres y sedd o flaen y ffenestr dan fy nghluniau, a'r coed yn crynu uwch y nant yn nhes Mehefin. Mae'r gwair yn uchel a minnau'n tuthio drwyddo ar fy mhedwar wrth gwt rhes o blant geirwon. Rwy'n bwyta 'nghinio yn yr iard a dim stumog gennyf, ac rwy'n ymladd â rhywun wrth y wal, ac mae colyn danadl poethion ar fy nghoesau pinc. Mae'n bwrw glaw ac yr ydym yn actio drama ynfyd yn y clôcrwm, pob un â'i ben yn ei jersi fel actio masc. Yr wyf yn dweud Gweddi'r Arglwydd yn feiddgar yn yr haul ac mae'r merched yn dweud ust. Mae'r gloch yn tincian… rhaid imi fynd yn ôl a bydd popeth wedi newid. Bydd lluniau eraill ar y mur a lleisiau eraill yn yr iard, a bydd yr haul ugain mlynedd yn hŷn. Ffarwel, hen ysgol, a diolch na fûm i'n hapusach ynot.[2]

Adeiladu paragraff gyda brawddeg hir yn ei ganol

Dyma ddefnyddio'r patrwm o frawddeg hir rhwng dwy frawddeg arall:

Dyna le oedd yn Sbaen. **Roedd cannoedd o bobl yn gorwedd yn hanner noeth yn yr haul ar y traeth melyn; sŵn radio'n sgrechian yn uchel ac aflafar dros y lle; merched siapus mewn dillad nofio cwta'n gorweddian yn ddiog ar y tywod a bechgyn cyhyrog, brown yn cerdded fel ceiliogod balch o gwmpas y lle i ddangos eu hunain; pawb yn ifanc ac yn hardd.** Yno yn eu canol, roedd Wil druan yn ei drowsus hir llwyd a'i grys brethyn a'i gap am ei ben.

Adeiladu paragraff drwy ailadrodd patrwm geiriol er mwyn creu pwyslais

Mae ailadrodd patrwm geiriol yn creu pwyslais yn ogystal â chreu adeiladwaith pendant:

Mi wn fod **da a drwg** ym mhob cenedl. Mae **da a drwg** ym mhlith y Cymry. Ond **nid wyf fi am sôn** am y Cymry taeog sy'n siarad Saesneg ac yn gwadu eu hiaith. **Nid wyf am sôn** am y Cymry undydd sy'n gweiddi 'Cymru Am Byth' mewn gêm bêl-droed. **Rwyf am sôn** am y Cymro cyffredin.

YMARFER

1) Gwnewch baragraff lle mae'r frawddeg gyntaf yn gwneud gosodiad a'r brawddegau dilynol yn ymhelaethu ar y gosodiad hwnnw. Dewiswch un o'r brawddegau hyn:

> Mae pobl glyfar yn dwp.
>
> Rhai od yw rhieni.
>
> Lle afiach yw'r ddinas fodern.
>
> Mae diweithdra yn lladd ysbryd dyn.

2) Gwnewch baragraff ar y patrwm byr, hir, byr i ddisgrifio un o'r rhain:

> eich pentref; noson o aeaf; ffair.

3) Gwnewch baragraff lle mae gair neu eiriau yn cael eu hailadrodd i glymu'r paragraff wrth ei gilydd.

4) Trafodwch grefft ac effaith y canlynol:

   i) Yr Arglwydd Mawr. Yr oedd ei cheg yn agored led y pen a'r glafoer heb iddi sylwi yn ffos i lawr ei gên. Yr Arglwydd Mawr. Eisteddodd yn ôl yn ei chadair yn hollol ddiymadferth. Yr Arglwydd Mawr.[3]

   ii) Ac yna daeth dyddiau Bangor. Ni bu, ac ni bydd eu tebyg. Pe rhoed imi erddi Babilon neu filiynau anghyfrif Rockefeller, nid wyf yn credu heddiw y newidiwn hwy am y pum mlynedd meddwol hynny. Bu Menai yn las ac yn fro hud, aeth gwanwynau drwy Sili-wen, ac ni chyfrifais eu myned. Yno, bu gwneud cyfeillion a cholli cariadon, gadael agnosticiaeth ysgol a dysgu ffydd.[2]

Creu Effeithiau Mewn Paragraff

Clymu dechrau a diwedd paragraff

Ffordd arall o greu undod mewn paragraff yw clymu dechrau a diwedd paragraff drwy ailadrodd geiriau fel hyn:

Cuddiai'r niwl ysgwyddau noeth Moel Cadwgan. Symudai pwcedi'r inclein yn araf, araf, a'r peiriannau'n chwythu a thagu ar ben Pwll y Swamp a Phwll y Pentre. Saethwyd cymylau o fwg du i'r awyr a sgrechiodd yr hwteri'n wallgof. Daeth cawell arall i fyny'r siafft. Hwnt ac yma, ochneidiai'r bombis lluddedig ar y rheiliau, bwrw, tasgu, clonc, clonc, clonc, a'r asennau dur a'r olwynion yn gwichian dan lwythi o byst-Norwy. Crwydrai'r defaid barus, hyll odreon y tipiau, gan drwyno'r glomân, crafu, blasu, a chnoi cegaid ar ôl cegaid. Daeth hen gi blêr di-flew heibio i'w dynwared. Cnoi, cnoi, cnoi mor awchus â phe bai grawn rhwng ei ddannedd. Rhedodd bachgennyn allan o'r tŷ yn ei grys-nos a gwandrew fel enfys ar y palmant. Dwy gath yn mewian ar ben to a dwy wraig ar ben drws. A'r **niwl yn dal i guddio ysgwyddau noeth Moel Cadwgan.**[1]

Defnyddio llawer o ferfau a berfenwau + ailadrodd geiriau i greu uchafbwynt

Mae'r ailadrodd a'r defnydd o ferfenwau yn y disgrifiad yma yn creu hysteria, ac yna mae'r frawddeg olaf yn wrthgyferbyniad tawel:

Ond bu hefyd adegau tawel. Nid sŵn yw stiwdant i gyd. Y nosau arteithiol cyn arholiadau'r haf, a'r ddinas yn sinistr ddistaw, ar wahân i fref ambell fyfyriwr gorffwyll yn gweiddi "**Rhy hwyr! Rhy hwyr!**" **Mynd o lyfr i lyfr** fel gwyfyn, a methu cael mêl. **Codi** a **cherdded** rownd y bloc a **dychwelyd**, a chloc yr eglwys gadeiriol yn cyhoeddi treigl yr oriau gyda blas. **Teimlo**'r hysteria'n codi yn y gïau a'r gwaed, **rhythu a rhythu** nes hollti pob llythyren yn ddwy. A chlychau'r gog Mehefin ac aroglau'r gwair yng Nglyn Ceiriog **mor bell, mor anobeithiol o bell.**[2]

Adeiladu at uchafbwynt

Gellir adeiladu at uchafbwynt o un digwyddiad i'r llall yn gelfydd fel hyn:

Casglodd y cymylau duon yn fygythiol uwchben y cwm cul tywyll. Saethodd mellten drwy'r awyr fel pe'n rhybuddio gwae. Daliai'r glaw i lifo yn ddi-baid awr ar ôl awr, ddydd ar ôl dydd. Yn y cwm cerddai'r afon fel bwystfil aflonydd yn bygwth deffro o'i gwsg. Yna, un dydd, yn sydyn gorlifodd yr afon ei glannau gan sgubo dros y tir ar ruthr gwyllt.

Yn ei fwthyn roedd Ifan yn cysgu'n ddiniwed. Ffrwydrodd y drws ar agor ac ysgubodd y dŵr i mewn. Boddwyd yr hen ŵr dan raeadr o ddŵr brown-ddu drewllyd. **Trannoeth cafwyd yr hyn oedd weddill o'i gorff llipa yn adfeilion ei fwthyn.**[2]

Mae modd adeiladu at uchafbwynt gan **roi tro neu sioc annisgwyl ar y diwedd** fel hyn:

Agorodd Miriam y drws a gwelodd mai Dafydd oedd yno. "Mae'n ddrwg gen i," meddai Dafydd. Rhoddodd Miriam wên amwys. Edrychodd i ddwfn ei lygaid. Camodd yn nes ato a medrai ef arogli ei phersawr meddwol. Rhoddodd hi ei dwylo tyner ar ei fynwes. Gwthiodd ef yn ôl yn dyner. **Yna'n ddirybudd camodd yn ôl a chau'r drws yn glep yn ei wyneb.**

∽ *YMARFER*

1) Gwnewch baragraff yn adeiladu at uchafbwynt i ddisgrifio person yn raddol golli'i dymer ac yna'n ffrwydro.

2) Adeiladwch baragraff yn disgrifio merched neu fechgyn drwy ailadrodd dechrau brawddeg dair gwaith yna creu amrywiad ar yr ailadrodd i orffen y paragraff.

3) Gwnewch baragraff yn disgrifio tre neu bentre gan glymu dechrau a diwedd y paragraff.

4) Darllenwch dudalen 83-91 yn *Crefft Ysgrifennu*, yna trafodwch grefft ac effaith y canlynol:

> Y felodi fwyaf gafaelgar a glywais i erioed. Dechreuodd yn ddistaw, ddistaw, a chyda'r dechrau distaw hwnnw'n rhoi taw ar fy meddyliau afradlon i, a'm llonyddu. Tyfodd yr alaw; cerddodd dros y seddau, dringodd drwy'r goleuon i'r nenfwd, ymsuddodd yn y llenni a ffiniai'r llwyfan mawr. Yr oedd ym mhobman, fel barn drist, a minnau'n unig yno, heb ymwybod â neb ond hi. Daeth drachefn a thrachefn, a'i gosod ei hun yn llwybyr annileadwy, anhygoel dlws, ar fy meddwl.[2]

Brawddeg fer i bwysleisio

Mae brawddeg fer yn arbennig o effeithiol os bydd yn cael ei defnyddio ar ôl brawddeg hir neu rhwng brawddegau hir:

> Doedd ganddo gynnig gweld glo. Roedd gweld glo yn llosgi'n braf yn y grât ar aelwyd gynnes yn iawn. Mynyddoedd o lo oedd yn atgas. Pan edrychai allan o'i ystafell wely, ni welai ond clogwyni a thipiau a wagenni o lo. Llethrau Moel Cadwgan. Llethrau'r Tyn-y-Bedw. Yr holl ffordd i Flaen-y-Cwm. Yr holl ffordd i Don-y-pandy. A llwyth sylweddol tu allan i ddrws-ffrynt rhywun yn feunyddiol. Roedd llwch y glo yn ffiaidd ganddo. Lein o ddillad. Silff ffenast. Tai. Capelau. Yr Ysgol. Cwteri. Yr afon. Y ffordd fawr. Y strydoedd. Llygaid cymdogion. Llaw ei dad. A glo oedd unig uchelgais y bechgyn o gwmpas. Gweld y dydd yn dod i daflu'r llyfrau-ysgol i'r cwts-dan-star a gwisgo dillad gwaith, sgidia-hoelion, iorcs, a mwffler. Mynd o dan ddaear. Breuddwydiai yntau am y diwrnod y câi drowser hir a chap fel ei dad, ond nid oedd am fynd dan-ddaear.[1]

Brawddeg fer i greu cynnwrf

Gall nifer o frawddegau byr mewn paragraff gyfleu cynnwrf:

> Saethodd tafodau o dân. Uwch. Ffyrnicach... Beth a wnâi? Deffro Garmon? Aeth ato... galw... cosi... galw eto. Dim ateb. Beth a wnâi? Galw Rhymni ac Iwan?... Gwisgodd. Aeth i lawr i'r gegin. Gwisgodd ei hesgidiau. Agorodd y drws ffrynt. Edrychodd allan. Roedd dau ddyn yn rhedeg nerth eu traed tua'r ffordd fawr. Roedd gwraig y tŷ gyferbyn ar garreg y drws. Croesodd Elsa'r ffordd. Aeth ati.[1]

Cyfleu dryswch meddwl drwy frawddegau byr + ailadrodd + cwestiynau

Mae'r cwestiynau a'r brawddegau byrion yn llwyddo i gyfleu sioc a dryswch meddwl:

> Y boen. Beth oedd yn bod? Pam yr holl boen? O ble daeth y dŵr cynnes? Pa ddŵr cynnes? Ceisiodd godi ei hun a llifodd rhywfaint o'r dŵr cynnes i'w geg. Gwaed. O ble daeth y gwaed? O, 'mhen i. O, 'mol i. Beth yw'r golau yna? Pam na stopith y boen yma? Beth a ddigwyddodd? Ble'r ydw i?[3]

↪ YMARFER

1) Defnyddiwch frawddegau byr mewn paragraff sy'n cynnwys brawddegau amrywiol i gyfleu person yn: gwylltio neu golli ei dymer; disgrifiad byw trawiadol; cael ei ddychryn.

2) Trafodwch grefft ac effaith y canlynol:

   i) Bu'n cerdded am oriau. Cerdded yn y glaw. Cerdded y strydoedd culion. Cerdded y dyffrynnoedd cerrig. Doedd o'n gweld dim ar ysblander y gorffennol. Heddiw oedd yn cyfri. Heddiw oer. Heddiw wlyb. Heddiw dywyll. Dim ond heddiw...

       Pan ddychwelodd i'r gwesty roedd o'n wlyb ac yn annifyr. Roedd o wedi marchogaeth y storm, yn ddibwrpas ac yn ddigyfeiriad. Roedd wedi mynd. Mynd. Dim ond mynd. Mynd i rywle. Dim ots ble. Dim ots am y storm. Dim ots a oedd o'n gwlychu. Doedd yna ddim cyfeiriad mwyach. Doedd o ddim yn perthyn i neb na dim.

       Anwybyddodd gyfarchiad y Clerc tu ôl i'r dderbynfa. Dyn diarth oedd o. Dyn diarth mewn dinas ddiarth. Roedd o yma heddiw. Byddai wedi mynd yfory. Fel dafn o law mewn storm ffyrnig.

       Aeth i'w stafell yn wlyb ac yn benisel.[14]

   ii) Damia. Ceisiodd gael ei ben yn glir i feddwl. Damia, damia, damia. Saethai popeth drwy ei feddwl bob sut. Cododd. Taniodd sigarét. Cerddodd at y ffenest. Cerddodd at y gwely. Cerddodd at y drws. Pa hawl oedd gan neb i wneud tai? Damia las. I beth, yn enw pob rheswm? Be wnâi o'n awr? Yr holl blaniau, yr holl gynllunio manwl wedi mynd i'r gwynt. I be aflwydd oedd eisiau adeiladu tai yng nghaeau Tan Ceris o bob man?[3]

Gwrthgyferbyniad o fewn paragraff

Gwrthgyferbyniad i gyfleu siom

Weithiau mae awdur yn defnyddio gwrthgyferbyniad o fewn paragraff. Yn yr enghraifft yma mae Kate Roberts yn defnyddio gwrthgyferbyniad i gyfleu siom:

> Dywedasai ei dad wrtho cyn y Nadolig ei fod am brynu ci yn anrheg iddo, a bu yntau'n breuddwydio am **gi bach du a gwyn, a blew 'cwrlog', a llygaid crynion.** Fe ddantodd yn hollol pan welodd yr **hen gi tenau llwyd a'r llygaid meinion** a ddaeth.[6]

Gwrthgyferbyniad er mwyn pwysleisio

Gwrthgyferbyniad yn pwysleisio mor wael yw bwyd y caffi o'i gymharu â bwyd Lleifior sydd yn y paragraff hwn:

> Tynnodd Harri wyneb. Taenodd y wraig liain heb fod yn gwbwl lân ar y bwrdd a rhoi'r llestri arno. Chwe darn tenau o fara prin ei fenyn ar blât, diferyn o jam melyn ar soser, dwy deisen siop, tri lwmp siwgwr. Aeth allan a chau'r drws ar ei hôl. Wrth fwyta, meddyliodd Harri am de Lleifior. Te cryf a hufen, brechdanau'n feddal gan fenyn ffres, torth frith a theisen gradell, a hynny i bawb boed was, boed feistr.[2]

Gwrthgyferbyniad er mwyn newid naws

Yn y paragraff nesaf mae Tsiecoff yn defnyddio gwrthgyferbyniad o fewn paragraff i newid y naws yn sydyn:

> Braf a mwyn oedd y tywydd i ddechrau. Yr adar bronfraith yn canu a rhyw greadur yn murmur yn gwynfanus yng nghyffiniau'r corsydd fel petai rhywun yn chwythu i mewn i botel wag. Ehedodd y gïach unig uwchben, ac yn sydyn atseiniodd twrw ergyd gwn ar ei ôl drwy awyr y gwanwyn. Ond pan aeth hi'n dywyll yn y goedwig, dechreuodd gwynt oer a main chwythu'n annisgwyl o'r dwyrain. Aeth popeth yn ddistaw. Dechreuodd bysedd o rew ymestyn ar draws y pyllau dŵr, ac annifyr, digroeso ac unig oedd y goedwig. Naws y gaeaf oedd ganddi.[18]

> ↦ **YMARFER**
>
> Gwnewch barargraff gyda'r hanner cyntaf yn gwrthgyferbynnu gyda'r ail hanner yn sôn am: hapusrwydd yn troi'n siom neu ddigwyddiad difrifol yn troi'n ddoniol.

Ailadrodd geiriau cyntaf dau baragraff

Mae ailadrodd geiriau cyntaf dau baragraff yn creu cyswllt a dilyniant rhwng y ddau baragraff:

> **Y nefoedd wen!** Yr oedd yn mynd â geneth i'r tŷ. Be wnâi hi? Mae'n rhaid ei bod yn hwran. Be ddeuai o'r lle 'ma? Troi stad o dai newydd parchus mewn pentref bach tawel heddychlon yn Stryd Sodom. Pobl barchus wedi byw yma drwy'r amser, a hwnna'n dod â'i hwrod i'w canol heb falio dim am neb. Roedd y byd wedi mynd â'i ben iddo'n llwyr.
>
> **Y nefoedd wen!** Beth petai'n ferch ddieithr? Efallai nad oedd yn ei adnabod o. Efallai nad oedd wedi clywed amdano na'i weld erioed o'r blaen. Be wnâi hi? A ddylai ffonio'r heddlu?...[3]

Paragraffau gwrthgyferbyniol

Gall gwrthgyferbyniad rhwng dau baragraff fod yn effeithiol iawn:

> Yn ôl, heibio i dabyrddau'r Macabeaid a llefain y bugail o fryniau Tecoa a'r wylo wrth afonydd Babilon, yn ôl i'r hen Aifft. Nid oes yno ddim cynnwrf yn y gwres. Mae'r cychod hwyliau'n llonydd uwch eu lluniau yn nŵr afon Nil, a phob palmwydden a sypyn crin o ddail ar ei phen. Draw dros y milltiroedd melyn mae Memffis, yn crynu yn yr haul, yn wynnach na'r eira. Yno, ar y balcon, mae'r Ffaro, yn gwylio'i gaethion yn gosod maen ar faen, yn codi gwareiddiad cynta'r byd.
>
> I mi heddiw, nad wyf Eifftolegwr, cybolfa ddi-drefn yw'r hen Aifft. Cybolfa o byramidiau a hieroglyffau, teirw a chathod maen, Ffaroaid melyn yn llercian ar orseddau gwenithfaen, a chaethion yn siglo gwyntyllau plu uwch eu pennau'n araf; ac yn tasgu'n ffyrnig drwy bopeth – yr haul. Ond ped elwn i yno, a byw, a bod yn offeiriad stwbwrn i anifail o dduw fel yr wyf heddiw'n weinidog efengyl, fe gliriai'r gybolfa ac fe giliai'r hud. Byddai byw dan y Ffaroaid fel byw ym mhobman, nid yn freuddwyd gogleisiol mwyach, ond yn fatel wenwynig am fara a chaws fel y mae ym mhob oes. Byddai farw'r cyfaredd dan lethdod gwres a brathiad moscito, fel y lleddir ef heddiw gan ruthr peiriannau a chysgod yr ystlum atomig. A dim ond gweld gwely afon Nil yn sychu'n graciau a chlywed sgrech caethwas dan chwip y meistr tasg, a gwrando preblach llyffaint yn y selerydd wedi nos, a byddai felys gennyf fi fyw yn rhywle ond yn yr hen Aifft.[2]

YMARFER

1) Gwnewch ddau baragraff sy'n gwrthgyferbynnu o ran cynnwys ond gyda'r un patrwm brawddegol gan ddechrau gydag un o'r brawddegau hyn:

   i) Mae plant y wlad a phlant y dre yn gwbl wahanol.

   ii) Weithiau byddai Mr Jones mewn hwyliau da, ond bryd arall byddai mewn hwyl ddrwg.

2) Trafodwch grefft ac effaith y canlynol:

   i) Ddoe, yr oedd yn peintio a phowdro a darogan i'r hollfyd sut yr oedd y Barnwr yn mynd i roi taw ar y dihiryn yna. Ddoe yr oedd wedi gofalu bod pob cydyn ar ei phen yn cydymffurfio â phatrwm plastig y perm a gawsai'n arbennig ar gyfer mynd i'r Cwrt Mawr. Ddoe oedd dydd y prysur bwyso.

   Yr oedd mor wahanol heddiw. Symudai'n arafach ar hyd y gegin. Yr oedd wedi ceisio gwneud cinio, ond ni wyddai sut yn y byd yr oedd gan neb stumog i fwyta heddiw. Yr oedd Gladys wedi ffonio ben bore i gydymdeimlo, ond bu rhaid i Bet roi'r ffôn i lawr. Ni fedrai ateb cyfnither ei mam. Yr oedd y dyn bara wedi galw, ond ni fedrai Bet ddweud un dim wrtho. Yr oedd y byd ar ben.[3]

Paragraffau yn adeiladu at uchafbwynt

Megis mae un frawddeg yn arwain ymlaen yn naturiol at y llall felly hefyd gyda pharagraffau. Weithiau mae awdur yn adeiladu tensiwn yn raddol fesul paragraff fel y gwna Islwyn Ffowc Elis yn y disgrifiad yma:

> O'r diwedd daeth allan i Birkenhead ac i'r niwl. Wedi cael y ffordd bost suddodd ei droed ar y sbardun ac ymatebodd y car. Ymateb yn frawychus, o achos fe'i cafodd Paul ei hun yn bracio â'i holl bwysau ac yn sefyll o fewn modfedd i ben ôl lorri betrol bwyllog. Damio lorïau petrol. Unwaith eto, sychodd y chwys annhymhorol oddi ar ei wyneb ac ailgychwyn. Sbarduno, bracio; ail-gychwyn, sbarduno, bracio. Roedd y broses yn hunllef.
>
> Ni allai weld siediau a chraeniau diderfyn Cammell Laird gan y niwl, na'r rhes tai o boptu iddo, dim ond blobiau gwlanog o oleuon lampau yn dilyn ei gilydd uwch ei ben, a smotiau gwlanog o oleuon coch y tu ôl i'r cerbydau o'i flaen. Cofiodd am ei lamp niwl a goleuodd hi. Yn y clwt o olau ambr gallai weld ychydig mwy, ond dim llawer. Rhaid iddo basio'r cerbydau o'i flaen. Roeddynt yn ei ddinerfu. Gallai fod ar y ffordd drymllyd drwy'r nos, a cholli oriau gwerthfawr, a Greta gyda phob awr yn ail-wthio'i gwreiddiau'n ddyfnach i ddaear Lleifior. Hi oedd yn gyfrifol am y siwrnai ddisynnwyr hon, hi a'i chenedlaetholdeb cecrus a'i dengarwch chwareus. Hi a'i styfnigrwydd Vaughanllyd a'i chyrls melyn a'i

chwerthin a aeth mor brin. Roedd yn ei melltithio ac yn ei charu. Eiliad o gamddeall oedd y cwbwl. Roedd yn rhaid iddo'i chael yn ôl.

Brathodd ei ben drwy'r ffenest a thybiodd ei fod yn gweld rhibyn o ffordd glir. Yn awr amdani. Pwysodd ei ddwrn ar y corn a'i droed ar y sbardun, a throi trwyn y modur heibio cornel ôl y lorri betrol. Dyna basio'r lorri. Ond yr oedd tri cherbyd arall i'w pasio. Gwasgodd y sbardun i'r gwaelod a saethodd y car i'r niwl. Ac yntau'n pasio'r cerbyd olaf, o'r flanced niwl o'i flaen tyfodd dwy brif lamp a lamp niwl felen. Yn union o'i flaen, yn erchyll fawr yn y niwl, crechwenai ceg lorri lefrith. Braciodd Paul â llaw a throed, a chlywodd y car yn troi drosodd mewn storm o oleuni. Clywodd ddarnau'r sgrin wynt yn rhidyllu'i wyneb a'r llyw yn hollti'i frest. Ceisiodd weiddi "Greta," ond nid oedd ganddo lais.[2]

☞ YMARFER

1) Ewch ati i ddarllen *Cyn Oeri'r Gwaed* Islwyn Ffowc Elis a chwiliwch am nifer o enghreifftiau o bob un o'r rhain: adeiladu paragraff drwy ailadrodd; ailadrodd geiriau allweddol o fewn paragraff; brawddeg fer bwysleisiol ar ddiwedd paragraff; clymu dechrau a diwedd paragraff; adeiladu at uchafbwynt mewn paragraff. Copïwch nhw yn eich *Llyfr Lloffion Llên*.

2) Gwnewch dri pharagraff yn adeiladu at uchafbwynt ar un o'r themâu canlynol: gwrthdaro neu serch neu arswyd.

Rhai Dyfeisiadau Llenyddol Awduron Rhyddiaith

Yr Ansoddair

Gair defnyddiol iawn yw ansoddair ar gyfer troi disgrifiad moel yn ddarlun lliwgar, manwl:

> Cerddodd y ferch gyda'r bachgen i'r car.

Sylwch gymaint mwy clir yw'r darlun o ddefnyddio ansoddeiriau:

> Cerddodd y ferch **felynwallt, siapus** gyda'r bachgen **tal, tywyll** i'r car **sgleiniog, crand.**

Drwy ddefnyddio ansoddeiriau gwahanol gellir creu darlun cwbl wahanol fel hyn:

> Cerddodd y ferch **dlawd, esgyrnog** gyda'r bachgen **cloff, claf** i'r **hen** gar **rhydlyd**.

Ei ddewis o ansoddair yn dangos agwedd y llenor

Does dim amheuaeth fod dewis llenor o ansoddeiriau i ddisgrifio ei gymeriadau yn dweud llawer iawn wrthon ni am agwedd y llenor at y cymeriadau hynny. Mewn bywyd go iawn mae pob un ohonon ni'n meddu ar lawer iawn o nodweddion – rhinweddau a diffygion – a byddai angen nifer fawr iawn o ansoddeiriau i'n disgrifio ni'n iawn! Pe bawn i am ganmol person fe fyddwn i'n dewis ansoddeiriau megis:

> Arthur **call, caredig, craff**...

Ond pe bawn i am ddychanu Arthur fe fyddwn yn canolbwyntio ar agweddau anffodus megis:

> Arthur **blonegog, blêr, carpiog**...

Mae agwedd Mihangel Morgan at gathod yn eithaf clir ar ôl iddo ddweud:

> Cathod **drewllyd, rhechlyd, cennog.**[19]

Dyna i chi T. Rowland Hughes yn defnyddio ansoddeiriau caredig i ddisgrifio arwr ei nofel, William Jones:

> Gŵr **mwyn** a **thawel** oedd William Jones.[11]

Wrth ddisgrifio Leusa ei wraig mae'n defnyddio dau ansoddair dirmygus:

> Rhaid i mi groniclo i'r wraig **ddiddannedd** a **digywilydd** hon glirio'r plât i gyd.[11]

Gwendid yw defnyddio gormod o ansoddeiriau ac mae un ansoddair o'i ddefnyddio'n awgrymog a chynnil yn gallu dweud llawer iawn. Dyma i chi T. Rowland Hughes eto yn disgrifio Leusa gydag un ansoddair sy'n awgrymu yn hytrach na dweud mai un flêr a diog yw Leusa:

> Un nos Sadwrn dechreuodd gymryd diddordeb yn y ferch **siaradus** Leusa Davies.[11]

Defnyddio ansoddeiriau cyfystyr er mwyn pwysleisio

Weithiau bydd llenor yn fwriadol yn defnyddio dau neu dri ansoddair gyda'r un ystyr fel hyn:

> Estynnodd y Du Trahaus ei getyn a'i lenwi'n **bwyllog, araf.**[20]

> Llais **main, gwichlyd, uchel.**[20]

> Roedd ei goesau a'i freichiau'n denau er bod ganddo fol **chwyddedig, balwnaidd, enfawr.**[20]

Y cwestiwn y dylech chi holi bob amser wrth werthfawrogi yw – pam mae'r llenor yn dewis yr ansoddair arbennig yna? Beth mae e am ei bwysleisio? Beth mae'r ansoddair yn ei ddweud am ei agwedd tuag at y gwrthrych neu'r cymeriad?

∞ *YMARFER*

1) Gwnewch frawddeg hir yn disgrifio diwrnod ar lan y môr gan ddefnyddio ansoddair ar ôl pob enw.

2) Gwnewch ddisgrifiad dychanol o berson annymunol gan ddefnyddio ansoddeiriau sy'n gwawdio'r person.

Y Defnydd o Ailadrodd

Ailadrodd ansoddair

Pwysleisio a wna ailadrodd ansoddair:

> Miss Bifan… a'i hwyneb **bach hyll** heb fod yn ifanc erioed a'i llygaid **bach hyll** tu ôl i'w sbectol **fach hyll**.[1]

Dull arall yw rhoi un ansoddair ar ddiwedd brawddeg ac yna ei ailadrodd ar ddechrau'r nesaf:

> Roedd hi wedi bod yn fore **gwlyb**. **Gwlyb** hefyd oedd y prynhawn.

Ailadrodd enw

Dyma ddefnydd effeithiol o ailadrodd enw er mwyn cyfleu trasiedi:

> **Eli** wedi lladd **Eli**.[4]

Gellir ailadrodd mwy nag un enw fel hyn:

> **Llanciau** oedd yn rhy ifanc i gael **cariadon, llanciau** oedd wedi ffraeo a'u **cariadon, llanciau** na chaent **gariadon** byth.[2]

Ailadrodd geiriau a dangos y rheswm dros wneud

Gall yr ailadrodd gyfleu **casineb** fel hyn:

> Clecs… yn union fel y bydd **gwybed** yn cario afiechyd o gwmpas! **Gwybed! Gwybed** oedd y tacla! **Gwybedyn** oedd yr ysgrifennydd… a'r trysorydd… a'r lleill i gyd![1]

Yn y dyfyniad nesaf mae ailadrodd 'sŵn' yn cyfleu person o **dan straen**:

> **Sŵn** yn fy nghlustiau i, **sŵn** siarad, **sŵn** traffig. A phan â i adre i'r fflat… mae 'na **sŵn** o'r fflat uwch 'y mhen i a **sŵn** o'r fflat oddi tana' i – **sŵn** piano, **sŵn** gramaffon, **sŵn** babi'n crïo, **sŵn** pobol yn chwerthin…

Adeiladu **tensiwn** yn gelfydd a wna Alun Jones wrth ailadrodd fan hyn:

> **Cysgod** oedd o. **Cysgod** yn symud. **Cysgod** dyn yn symud gyda thalcen y tŷ tua'r cefn… Yno'n **prowla**. Yr oedd dyn yn **prowla** o gwmpas ei thŷ hi a hithau'n gefn nos.[3]

Cyfleu **undonedd** a **syrffed** a wna'r ailadrodd yma:

> **Tri mis. Tri mis** o boeni ac o ddioddef pob sarhad. **Tri mis** o gael ei holi a'i groesholi'n ddiddiwedd. **Tri mis** o gael ei ddyrnu a'i gicio.[3]

Ond cyfleu **hysteria** a wna'r ailadrodd hwn:

> Yr oedd yn rhaid iddi **ffonio. Ffonio'r** plismyn. **Ffonio** am help.[3]

Pwysleisio **trasiedi** a wna Caradog Prichard wrth ailadrodd:

> A wedyn dyma fi'n dechra **crïo**. Nid **crïo** run fath â byddwn i erstalwm ar ôl syrthio a brifo; na chwaith run fath â byddwn i'n **crïo** mewn amball gnebrwng; na chwaith run fath ag oeddwn i pan aeth Mam adra a ngadael i yn gwely Guto yn Bwlch erstalwm. Ond **crïo** run fath â taflyd i fyny. **Crïo** heb falio dim byd pwy oedd yn sbïo arnaf fi. **Crïo** run fath â tasa'r byd ar ben. Gweiddi **crïo** dros bob man heb falio dim byd pwy oedd yn gwrando.
>
> Ac wrth fy modd yn **crïo**, run fath â fydd pobol wrth eu bodd yn canu, a pobol eraill wrth eu bodd yn chwerthin.
>
> Dew, wnes i rioed **grïo** fel yna o'r blaen a ddaru mi rioed **grïo** run fath wedyn chwaith. Mi faswn i'n leicio medru **crïo** fel yna unwaith eto hefyd. A gweiddi **crïo** oeddwn i wrth fynd allan trwy'r drws…[5]

Ailadrodd brawddegau byr

Cyfleu **prysurdeb** a wna'r ailadrodd yma:

> Chwe modfedd o bridd eto. Gordd eto. Chwe modfedd o bridd eto. Gordd eto.[3]

∾ YMARFER

1) Trafodwch grefft ac effaith y canlynol:

   i) Gwlad anferth. Talaith anferth. Plasty anferth. Lawnt anferth. Fe deimlodd Elen yr anferthwch yn ei llethu.[2]

   ii) Wyneb nad oedd yn wyneb mwyach.[1]

   iii) Craffodd i'r ardd. Gwelai siâp y pren afalau. Gwrandawodd eto. Agorodd y ffenest yn araf, araf ac yn ddistaw, ddistaw. Rhoes ei ben allan a gwrandawodd yn astud.[3]

   iv) Dimbach. Seilam. Ma nhw'n mynd â Mam i Seilam, Seilam, Seilam. Em Brawd Now Bach Glo. Yn ei arch â'i geg yn gorad. Wedi cael ei stido. Em eisio diod. Mi geith hi berffaith chwara teg. Mewn gwendid mae hi. Yncl Wil yn cael ei grogi. Wil Elis Porter. Gwddw'n stillio gwaedu. Seilam, Seilam, Seilam.[5]

Ailadrodd geiriau neu frawddegau i greu undod

Sylwch sut y cysylltir dechrau a diwedd y stori *Eli Brown* gan Eleri Llewelyn Morris:

(Dechrau'r stori)
Fedra i ddim cofio amser heb Eli. I mi, roedd hi'n bod o'r dechrau rhywsut, fel Mam a Dad. Ac eto, medden nhw i mi, ddaeth hi ddim i fyw i Fron Pwll at ei nain nes fy mod i'n dair oed. Gallwn weld Bron Pwll o ffenest llofft ein tŷ ni; un o'r tai hynny gyda dwy ffenest lofft a dwy ffenest waelod a drws yn y canol ydi o – tŷ ag iddo wyneb. Fyddai nain Eli byth yn cau'r drws, ac eithrio pan fyddai hi'n treisio bwrw neu'n chwipio rhewi, a rhoddai hyn olwg gyfeillgar i wyneb y tŷ, fel pe bai'n chwerthin â'i geg yn llydan agored. Dro arall, pan fyddai'r haul ar fachlud, byddai swigan felyngoch ohono yn cael ei ddal gan ffenest llofft Bron Pwll, nes gwneud i'r **tŷ edrych fel pe bai'n wincio ar ein tŷ ni.**

(Diweddglo'r stori)
Ond i beth rydw i haws â mynd ymlaen fel hyn? Mae Eli wedi marw. A bore heddiw, dw i'n methu tynnu fy llygaid oddi ar Fron Pwll. Mae nain Eli wedi cau'r llenni a chau'r drws. Mae hi wedi **mygu'r tŷ fel na fedr o ddim na gwenu, na wincio ddim mwy.**

Yn yr un modd cysylltir dechrau a diwedd *Ac Yna Clywodd Sŵn y Môr* gan Alun Jones:

(Dechrau'r nofel)
Cofiodd iddo **glywed sŵn y môr** ar brynhawn stormus o'r fan hyn ers talwm.

(Tua diwedd y nofel)
Ac yna **clywodd sŵn y môr**.

Hefyd nofel Caradog Prichard *Un Nos Ola Leuad:*

(Pennod gyntaf y nofel)
"Nid **cath** sydd yna, medda Huw. Catrin Jên sydd yna o hyd yn crïo."
"**Catrin Jên yn mewian crïo** yn y cwt glo o hyd."

(Diwedd y nofel)
Dyma fi'n clywad **sŵn cath yn mewian**… Nid cath Gres Ifas oedd yna, medda fi. **Mam sy'n crïo** yn ei chwsg.

Ar ddiwedd y nofel mae'r ailadrodd yn awgrymu mai'r un yw'r fam â Catrin Jên Lôn Isa.

Ailadrodd i greu gwrthgyferbyniad

Defnyddia Kate Roberts ailadrodd i **newid naws stori'n gelfydd** yn *Diwrnod i'r Brenin*:

Daeth diwedd ar ei myfyrdodau pan glywodd glangclang y tramiau ar heolydd Pen y Cwm. Ymwthiodd drwy'r torfeydd tua'i chartref. Âi mwg ffres i fyny trwy'r corn. Yr oedd ei thad gartref o'i blaen, felly. Dyna lle'r oedd yn llewys ei grys yn eistedd ar step y drws. Yr oedd y tecell yn berwi wrth y tân a'u swper yn barod ar y ford. Âi rhyw arwydd fach fel hyn o garedigrwydd ei thad at ei chalon. **Yr oedd arni eisiau llefain o hapusrwydd.**

Wel, shwd enjoisoch chi?" meddai hi. "Shwd oedd Dan a'r teulu?"

"O, weddol wir. Achwyn mae e o achos yr orie hir a'r gyflog fach. Ond dyna fe, ta b'le ei di 'nawr, achwyn mae dynion. Mae Dan wedi blino gormod i gymryd i dwbyn, mynte fe, ac ar ddiwedd wythnos ŵyr Jane ffordd yn y byd i rannu'r arian. Maen 'hw' mor fach."

"Ond", meddai ei thad wedyn, "mae Dan yn cael gwitho," a chan weiddi yn uchel yr ail waith, "Mae Dan yn cael gwitho." Bu agos i Rachel ollwng y tebot wrth glywed ei thad yn codi ei lais mor ddifrifol.

Ni fynnai ef swper, ond aeth allan i eistedd ar garreg y drws ac i synfyfyrio. Daeth rhyw ddigalondid dros Rachel. **Yr oedd arni eisiau llefain dros bob man.**

⬿ YMARFER

1) Mae patrwm arbennig i rai o'r enghreifftiau uchod. Fedrwch chi ddarganfod y patrwm a llunio pump brawddeg ar bump patrwm gwahanol o ailadrodd?

2) Gwnewch baragraff yn defnyddio ailadrodd a chwestiynau i gyfleu ansicrwydd meddwl person.

3) Ailadroddwch frawddeg fer o fewn paragraff i gyfleu person: yn cofio digwyddiad; cofio lle.

4) Gwnewch dair brawddeg gan ailadrodd ansoddair ymhob un: i greu dychan; i greu tristwch; i fynegi llawenydd.

5) Ailadroddwch enw person mewn brawddeg i gyfleu: tosturi; anwyldeb; dychan.

Pentyrru Geiriau

Pentyrru ansoddeiriau

Gellir pentyrru ansoddeiriau i greu darlun mewn ychydig eiriau:

> Sŵn **garw, mecanyddol, modern.**[2]

> Hen wreigan **wargam, ffwdanus, grynedig.**[1]

Pentyrru enwau

Gellir pentyrru enwau a defnyddio cysylltair rhwng pob un fel hyn:

> Ym mherfeddion y ddinas dydy pobol yn gweld fawr ddim **ond palmentydd a̱ waliau a̱ mwg a̱ moduron a̱ niwl.**[2]

Does dim rhaid i'r enwau ddilyn ei gilydd – gallant fod mewn brawddegau gwahanol:

> Cerddodd i fyny'r rhiw. Ardal weithfaol, ond digon deniadol. **Tai** mawr ar y briffordd. **Siopau.** Sawl **tafarn. Neuadd y Gweithwyr. Sinema.**[1]

∞ YMARFER

1) Pentyrrwch enwau mewn brawddeg i gyfleu rhywun y mae pethau materol yn bwysig iddo.

2) Defnyddiwch dri ansoddair ar ôl ei gilydd mewn brawddegau i ddychanu: dyn tew; menyw bwysig; dyn busnes.

3) Defnyddiwch dri ansoddair ar ôl ei gilydd mewn brawddeg i ddarlunio'n gydymdeimladol: hen ŵr; gwraig glaf; plentyn amddifad.

4) Trafodwch grefft ac effaith y canlynol:

   i) Adwaenai Garmon dôn ei llais yn awr, brawddegau tawel, hunanfeddiannol, synhwyrol, gwylaidd nes y gwelai hi'n fwy na'r ferch fochgoch, gariadus, gariadwy ger ei fron.[1]

   ii) Wyneb ynfyd, gormesol, militaraidd yr athro.[1]

   iii) Yr unig sŵn a glywai oedd carthu gyddfol yr afon a chwymp swrth, soeglyd y tip glo i'r dyfroedd a'r budreddi a'r glo mân a'r pyst a'r pwcedi a'r siediau a'r dillad golchi a'r tuniau a'r sbwriel yn ysgubo yma a thraw…[1]

Cyffelybiaethau a Throsiadau

Pam mae'r llenor yn defnyddio'r gyffelybiaeth neu'r trosiad yma? Dyma'r cwestiwn mae'n rhaid i chi ei ateb wrth werthfawrogi. Trafodwch beth mae'r cyffelybiaethau a'r trosiadau isod yn ei ddweud wrthoch chi.

Cyffelybiaethau

Aeth drwy'r drws **fel tarw.**[3]
Roedd yn syllu i lawr i'r dyffryn lle'r oedd y niwl yn gorwedd **fel môr o wlân.**[2]

Trosiadau

Wrth fynd i lawr drwy Goed Argain i Lanaerwen, ni welodd Wil James mo **dagrau'r haul** ar y deri a'r ynn. Ni welodd mo'r **wiwer yn fellten goch** rhwng y brigau.[2]

Trosiadau Estynedig

Gall trosiad estynedig fod yn effeithiol os na fydd yn cael ei estyn yn annaturiol.

Mae **byddin** y poteli'n cymryd drosodd; safant ar sil y ffenest **yn rhes o filwyr** bach sgleiniog.[7]

Mae dychymyg Menna'r Crown wedi'i wneud o **lastig**, a hwnnw'n lastig digon annymunol. Mi **dyr yn glec** rhyw ddiwrnod, a **hi'i hun gaiff 'i brifo** fwya.[2]

⟳ YMARFER

1) Gwnewch frawddegau'n cynnwys gwrthgyferbyniad i gyfleu: siom; hiwmor; dychan; dychryn.

2) Defnyddiwch gyffelybiaeth: i greu hiwmor/dychan; i gyfleu llonyddwch; i gyfleu diflastod; i ddisgrifio person.

3) Defnyddiwch drosiad am: y lleuad; gwraig gas; bws; dyn tew; dyn tenau.

4) Trafodwch grefft ac effaith y canlynol:

    i) Golwg run fath â ci wedi bod yn lladd defaid arno fo.[3]

    ii) Mwstas fel malwoden dan ei drwyn.[1]

    iii) Nid anghofiaf y tro hwnnw pan oedd angen ymestyn gwifren y set-deledu er mwyn symud yr allor honno i fan yn yr ystafell lle gallai'r teulu addoli gyda'i gilydd. Nid oedd ond dwy weiren fach ddiniwed yr olwg yn hongian yn ddigon llipa, ond bu bron i'r nadredd gwenwynig hynny, pan gydiais yn eu cynffonnau, sarnu fy rhagolygon am weld rhagor o deledu yn y byd hwn.[7]

5) Chwiliwch yn *Ysgrifau yr Hanner Bardd* gan Dafydd Rowlands am y canlynol gan esbonio a ydyn nhw'n effeithiol: pum cyffelybiaeth; pum trosiad; pum berf drosiadol; un trosiad estynedig.

Copïwch y rhai effeithiol yn eich *Llyfr Lloffion Llên* gan esbonio eu swyddogaeth a'u heffeithiolrwydd.

Dethol Geiriau i Greu Naws Arbennig

Weithiau, ar adegau prin, bydd llenor yn dymuno cyfleu sŵn fel rhan o naws disgrifiad. Bryd hynny mae onomatopoeia'n ddefnyddiol:

> Ond dew, mi fuo dest imi gael ffit unwaith pan ddaeth na dwrw sydyn **rhwchrhwchrhwch** wrth ein penna ni, fel indjian ddyrnu. Ffesant, medda Moi yn ddistaw bach.[5]

Llai dramatig a llai amlwg fel arfer yw techneg llenor o greu naws. Yr hyn a wna llenor crefftus yw dethol geiriau arbennig a'u gosod yma ac acw ynghudd megis er mwyn creu naws arbennig.

Creu naws trist ar ddechrau stori am ddyn ifanc y mae ei gariad wedi priodi rhywun arall sydd yn y stori fer *Dwy Storm* gan Kate Roberts:

> Fin **tywyllnos,** nos Sadwrn cyn Nadolig 1861, teithiai gŵr ifanc tros y Mynydd **Llwyd** i gyfeiriad Cwm **Du**goed. Roedd yn chwipio rhewi ers oriau, a gwynt y dwyrain mor **oer** nes deifio'i wyneb a'i wneud yn ddideimlad… Wrth weled y cymylau **duon** a grogai fel bwganod dros y môr, troes ei wyneb i Gwm **Du**goed eilwaith.[6]

Creu darlun o ddiflastod a wneir yn y disgrifiad yma:

> Aeth wythnos heibio. Nid oedd tywydd Cwm Hyder wedi gwella fawr. Daliai'r **niwl** crwydrol i guddio copa a llethr. Aeth y ffenestri i edrych yn **hyll** a'r cerrig **llwyd** ymhob adeilad i edrych yn **wylofus-dorcalonnus.** Nid oedd newyddion da o gwbl am y rhyfel a cherddai dynion o gwmpas yn **drist a thrymaidd.** Rhuthrai'r bysiau bob ben bore drwy'r Cwm ar eu ffordd i'r pyllau-glo a'r ffatrïoedd. Chwvthai'r trenau **llwythog** drwy'r Cwm ac **arllwys** merched **lluddedig** ar bob platform. Disgynnai'r nos ar y Cwm a **hiraethai'r** llygaid am seren i dorri'r **tywyllwch didrugaredd** o orwel i orwel **heb lamp** ar gornel-stryd **na channwyll** yn dangos mewn ffenast **na phrin yr un llewych** yn dod o'r moduron prin a'r bysus ar hyd y ffyrdd gwag.[1]

Arbrofi â geiriau

Dyma Caradog Prichard yn clymu geiriau wrth ei gilydd

> Hetar smwddio'n mynd **ynolagymlaen.**[5]

Weithiau bydd llenor yn bathu ansoddair allan o nifer o eiriau fel hyn:

> gwallt **dim-ots-sut.**[2]

> Glöwr cydwybodol **ffag-yn-ei-geg.**[1]

> Bardd, tawel, mewnblyg, **moel-cyn-ei-amser.**[25]

YMARFER

1) Defnyddiwch onomatopoeia mewn pum brawddeg i gyfleu sŵn. Dewiswch rai o'r geiriau hyn: clindarddach, cloncian, crawcian, chwyrnu, chwyrnellu, dwmbwr-dambar, ffit-ffat, hisian, llepian, mwmial, murmur, pitran-patran, rhechen, rhochian, siffrwd, snwffial.

2) Defnyddiwch ailadrodd i gyfleu: tensiwn neu ddisgwyliad; awch neu ddymuniad cryf; syrffed neu undonedd.

3) Gwnewch baragraffau gan ddethol eich geiriau i gyfleu argraff o undonedd, llawenydd bywyd a hysteria.

4) Trafodwch grefft ac effaith y canlynol:

   i) A dyma'r trwnc yn mynd cilincadiclonc oddi ar gefn Wil Elis ac yna'n rowlio yn y llwch ar ganol y lôn...[5]

   ii) Eisteddai Iwan ar graig yn edrych i lawr ar y Cwm. Roedd y wawr ar dorri a deuai'r coed a'r tai a'r tipiau yn araf i'r golwg. Roedd wedi lapio ei gôt yn dynn amdano ond ni lwyddodd i gymryd hen oerni blaen y wawr allan o'i esgyrn. Ni theimlasai mor hen erioed. Roedd ei groen yn hen ar ei wyneb... roedd ei ddwylo'n hen... roedd ei lygaid yn boenus gan henaint. Am filltiroedd o'i gwmpas taenid gwawl ysgafn-fregus a wnâi iddo sylweddoli mor faith oedd y ffurfafen uwch ei ben ac mor fach oedd ef oddi tani. Teimlai'n ddinod... teimlai'n ddiamddiffyn... teimlai'n ddim. Gall mai dyna oedd marwolaeth... mynd yn ddim... dim, dim, dim... yn ehangder annherfynol y cread. Am y tro cyntaf erioed, bron... bron... bron na theimlai fel pe bai'n well ganddo pe byddai wedi marw. Roedd y byd islaw iddo yn frawychus o awdurdodol... yn deyrn... yn ormeswr... ac nid oedd ganddo – sylweddolai hyn yn awr yn fwy nag erioed – unrhyw fath o ddawn neu gymhwyster i fyw ynddo.[1]

   iii) Bu rhaid i Gareth dorri chwarel fach o wydr yn y drws i agor y clo. Yna darganfu fod gan Gladys far ar ben y drws. Nid oedd clo ar ei ben ei hun yn ddigon ganddi. Damiai Gareth Hughes wrtho'i hun wrth straffaglio i geisio agor y bar gyda chansen o'r ardd. Llwyddodd o'r diwedd, a damiodd wedyn yn uchel pan ddarganfu bod gan Gladys far ar waelod y drws yn ogystal. Os cloi, cloi.[3]

   iv) Wyneb blin, anodd-ei-blesio, byr-ei-olwg Jenkins Algebra.[1]

   v) Dillad llachar welwch-chi-fi.[2]

5) Ewch ati i ddarllen *Cyn Oeri'r Gwaed* Islwyn Ffowc Elis a chwiliwch am ddwy enghraifft o bob un o'r rhain: ailadrodd geiriau; pentyrru ansoddeiriau; pentyrru enwau; gwrthgyferbyniad o fewn brawddeg; berfau trosiadol; cyffelybiaethau; dethol geiriau i greu naws.

6) Copïwch yr enghreifftiau mwyaf diddorol a'r cyd-destun o'u cwmpas yn eich *Llyfr Lloffion Llên* gan esbonio pam rydych yn eu hoffi a pham mae'r awdur wedi eu defnyddio.

Gwendidau Arddull Mewn Rhyddiaith

Gwendid mawr mewn arddull yw gorddefnyddio dyfeisiau o unrhyw fath.

Arddull orflodeuog

Gwendid yw defnyddio ansoddeiriau, trosiadau, cyffelybiaethau yn ormodol oherwydd prif rinwedd arddull ryddiaith yw symlrwydd ac uniongyrchedd. Ystyriwch a yw'r arddull yn orflodeuog yn yr enghreifftiau isod? Ceisiwch ailysgrifennu'r darn gan ddewis a dethol.

> Gwelwn y bwthyn gwyngalch ar unigeddau'r graig yn mynd ymhellach, ymhellach, a llawysgrifau'r llyfrau **anorffenedig** yn gorwedd yn **anghofiedig** ar silff waelod rhyw gwpwrdd-dillad mewn gwesty **gwydr,** gwesty a'i garpedi'n **wastadeddau** o fynd a dod **meddal a di-sŵn.** Roeddwn yn dechrau synhwyro erbyn hyn fod Llwyd, ar waethaf yr holl siarad am fwthyn ac am ddymunoldeb llonyddwch gwledig, yn cael mwy o flas ar faldod **moethus** y math hwn o fyw – yr oriau **hwyr** mewn **neuadd eang** o ystafell, a llanc mewn gwisg wen, ar orchymyn bys, yn **ymgnawdoli fel gwas y llusern** i weini arnom; brandi a choffi ar hambwrdd; sigâr **hir** o flwch pren **tenau fel papur,** a blas mintys ar siocledau **sgwâr;** y corff **noeth yn ddigywilydd** rydd dan chwistrellau **sadistig** y dŵr **oer** – troi'r ddolen **arian,** a chodi'r wyneb **at fendith** y gawod **gynnes;** esgidiau y tu allan i'r drws yn orchwyl i **sgleiniwr cuddiedig y nos;** ffôn wrth y gwely i alw'r llanc a'i hambwrdd eto; **hwiangerddi'r** donfedd hir yn **diferu** dros wynder y clustogau; y deffro **melys** i bot coffi a phapur newydd; **penyd iachusol** y Sauna; brecwasta **hamddenol** y tost **euraid** a'r trwch cyfoglyd o farmaled.[7]

Gorddefnyddio ansoddeiriau

Rhybuddiodd George Orwell ni rhag gorddefnyddio ansoddeiriau ac adferfau mewn rhyddiaith. Ailysgrifennwch y darn isod gan ddefnyddio llai o ansoddeiriau:

> Teimlo'r gwres **melyn** ar gnawd **noethlymun** y breichiau, a gwylied y bêl **ysgarlad** yn saethu ar hyd y gwair **crop** at farc y ffin. Y sŵn **siarp** pan fydd pren **gwyn** yr helygen yn taro'r lleder, y sŵn sy'n deffro yn y cof y campau a fu a chnawdoli eto'r darluniau **gwefreiddiol:** Willie Jones yn brasgamu ar goesau **pwt** wrth fynd i gwrdd â'r bêl, a'i chodi hi'n **saff** dros y wal a'i rhoi yn **deidi** ar ffordd **hen** drên y Mwmbwls; Emrys Davies, ei wallt yn britho dan y cap **glas tywyll,** yn goglais y lleder **crwn** rownd ei goesau **hamddenol** a'i wylied dros ei ysgwydd **wen** yn treiglo'n **ddiffwdan** i gasglu pedwar rhediad arall; Wooller, fel bustach **anniben,** yn pedoli ei ffordd yn **afrosgo** at farc **dwfn** y bowliwr cyn gollwng y bêl o'i ddwrn **peryglus** i gyfeiriad y batiwr **anniddig;** a'r gwylanod yn flodau ar y maes.[7]

Gorddefnyddio dyfeisiau llenyddol

Dyma ddisgrifiad lle defnyddir llawer o drosiadau. Oes gormod o drosiadau ynddyn nhw? Oes gormod o ansoddeiriau?

> Mae cerdded dros y tarmac at yr **anghenfil ysgeler** sy'n **canu grwndi maleisus** wrth dderbyn **y gwybed-ddynion diymadferth i'w grombil** yn weithred sy'n **moelyd** fy stumog cyn codi modfedd i'r nen.[7]

Gorweithio trosiad estynedig

Nid yw trosiad estynedig bob amser yn ddyfais lwyddiannus iawn mewn rhyddiaith gan fod y straen o gynnal y ddyfais yn aml yn mynd yn faich ar y darllenydd. Beth yw eich barn am yr enghraifft hon?

> Hen ferch oedd Miss Tynon… Roedd hi'n meddu llawer iawn o'r doniau merchetaidd – gweu, gwnïo, coginio, a gwisgo mor lliwgar **â pheunes**… roedd hi'n **aderyn** eithriadol ymysg ei rhywogaeth yn gymaint â'i bod yn methu'n deg ag ymatal **rhag brathu, brathu, brathu. Arddangosai ei gogoniannau** yn wastadol… ond ni fedrai yn ei byw mewn unrhyw gwmni dan unrhyw amgylchiadau anghofio'r **hen gylfin hir,** niweidiol a guddiai yn ei **phlu.** Roedd hi'n sefyll ger eu bron yn awr a'i **gwyntyll ar led,** ond… roedd **ei phig yn barod.**[1]

Gorddefnyddio ymadroddion cyffredin

Gwendid mewn arddull yw defnyddio ymadroddion a delweddau sy wedi colli eu grym o'u hir ddefnyddio. Dyma enghreifftiau:

mor ysgafn â phluen	mor wyn â'r eira
mor farw â hoel	amynedd Job

Cynnwys yn annealladwy neu'n rhy haniaethol

Dylai ystyr darn o ryddiaith fod yn glir ar bob adeg – gan mai apelio at y deall y mae yn fwy nag at y galon. Gallwn ymateb i ddarn o farddoniaeth ar lefel ddyfnach a mwynhau'r seiniau ond dylai rhyddiaith fod yn ddealladwy bob amser. Bai'r llenor yw methiant y darllenydd i ddeall ei ryddiaith oherwydd geirfa ddieithr neu gynnwys rhy haniaethol.

Defnyddio bratiaith

Rhaid cael iaith safonol sy'n gywir a heb ei llygru mewn unrhyw waith ysgrifenedig yn Gymraeg. Mae gan bob iaith ei hathrylith a'i nodweddion ei hun ac nid yw'n dderbyniol defnyddio iaith sy'n wallus ac yn anghywir:

> Mae **brawd bach fi** yn **gyrru fi lan y wal.**

Defnyddio elfennau sy'n anghyson â'r iaith megis geiriau Saesneg, idiomau Saesneg a dialog Saesneg

Bydd plant yn defnyddio geiriau Saesneg wrth ysgrifennu Cymraeg oherwydd grym niweidiol iaith fwyafrifol ar iaith leiafrifol sydd dan warchae ac mewn perygl o droi'n fratiaith ddiystyr.

Dyw llenorion Saesneg ddim yn defnyddio dialog mewn ieithoedd eraill wrth ysgrifennu'n Saesneg. Mae'r cymeriadau i gyd yn Rwsiaid, Almaenwyr ac Arabiaid, yn defnyddio dialog Saesneg. Felly dylai hi fod yn y Gymraeg hefyd. Er bod cymeriadau o wlad arall ac yn siarad iaith arall, Cymraeg ddylai fod iaith dialog cymeriadau mewn nofelau Cymraeg.

Yn yr un modd gyda'r geiriau unigol. Mae geiriau Saesneg, hyd yn oed pan fyddan nhw'n cael eu sillafu mewn dull Cymraeg, yn annerbyniol. Dylai llenor ddarganfod ei ffordd o ddweud yr hyn mae am ei ddweud heb lygru ei iaith – hyd yn oed os bydd rhaid iddo fathu geiriau Cymraeg newydd fel y gwnaeth Islwyn Ffowc Elis ac eraill.

Defnyddio trosiadau a chyffelybiaethau anaddas

Rhaid i'r trosiad/cyffelybiaeth fod yn addas a dweud rhywbeth pendant am y gwrthrych. Dyma rai trosiadau anaddas:

> O'r awyr daeth y glaw i lawr **fel llwyth o gerrig o gefn lori.**
>
> **Llifodd afon ei lais** i mewn i'm clustiau.

Gordeimladrwydd neu sentimentaleiddiwch

Gwendid llawer o awduron yw ceisio ennill cydymdeimlad y darllenydd tuag at gymeriad anffodus drwy fod yn sentimental a disgrifio ei drueni yn ddagreuol ac yn fanwl. Ond pwysleisia Tsiecoff yr angen am fod yn fwy oeraidd wrth bortreadu anffodusion a thrueiniaid os am gyffroi'r darllenydd i gydymdeimlo â nhw. Yr un yw tystiolaeth Kate Roberts, er bod awdur yn cydymdeimlo â'i gymeriadau rhaid iddo ddweud ei stori'n gwbl ddiduedd a chaled: *"Gall ambell air fradychu awdur… gwaith awdur yw cuddio ei deimladau."*

⊶ YMARFER

1) Trafodwch grefft ac effaith y canlynol:

i) Goleuid y nos gan fflamau Abertawe a phelydrau hir y goleuadau llachar fel bysedd gwyn yn chwilio nenfwd y cwm am adar metel y gelyn.[7]

ii) Y dydd o'r blaen wrth gerdded dan goed deiliog, canghennog, cerddorol Cadwgan, y mynyddoedd o'm cwmpas yn fy llyfu ag awelon fel hen gŵn mawr dof yn falch o'm gweled, slaets llwyd to ar ôl to o'r hen dai bach caruaidd mor gyfeillgar i'r golwg â'r wynebau a welwn yn fy hiraeth, a'r mwg araf yn gwnïo'r heddwch newydd ar fynwes anferth y ffurfafen, dechreuais edifarhau nad oeddwn wedi ymorol am ei llwch a'i ymddiried i'r gwynt galarus i'w wasgaru dros Gadwgan fel y gwasgarwyd conffeti ei phriodas ar y llethrau hyn dros hanner canrif yn ôl...[1]

2) Ail ysgrifennwch y ddau baragraff cyntaf yn yr adran hon gan ddewis a dethol y dyfeisiadau er mwyn osgoi eu gorddefnyddio ac osgoi arddull orflodeuog.

3) Darllenwch yr ysgrifau *Sgidie Bach Llandeilo* a *Y Ddau Grwt* yn *Ysgrifau Yr Hanner Bardd* gan drafod a ydyn nhw'n ordeimladol neu beidio. Copïwch nhw yn eich *Llyfr Lloffion Llên*.

Defnyddio Cefndir Mewn Rhyddiaith

Cefndir yn creu naws

Mewn stori fer yn arbennig mae defnyddio disgrifiad byr sy'n creu naws yn medru gosod cefndir i'r cymeriadau.

Gall awdur ddefnyddio cefndir i gyd-fynd â theimladau cymeriad megis y gwna Kate Roberts yn *Gorymdaith* – lle mae'r ystafell dywyll gyfyng yn cyd-fynd ag agwedd meddwl chwerw a diobaith y cymeriad:

> Edrychodd ar ei gŵr yn gorwedd yn y twll du di-ffenestr a elwid yn ystafell wely. Gorweddai'n dorch fel cath ar ben tas wair, ac iddi hi yr oedd y tro yn ei gefn yn fynegiant o'i holl surni a'i chwerwedd yn erbyn bywyd...[6]

Cefndir tywyll yn cyfleu casineb

Yr un fath yn y stori *Dwy Storm,* mae'r casineb ym meddwl y cymeriad yn cyd-fynd â thywyllwch y cefndir:

> Aels, y bu'n ei charu mor gywir ac mor danbaid am ddwy flynedd yn medru gwneud ffasiwn beth, heb ddim rheswm i'w olwg ef! Yr oedd ef am iddynt briodi y calan gaeaf hwn, ac wrth sôn am hynny y torrodd hi'r newydd iddo. Y fo a ddylasai fod efo hi heno yn y dref ac nid Guto. Y fo a oedd hefo hi'r llynedd. Wrth gofio hynny a chofio pob dim ynglŷn â'r noson honno, chwysai gan gasineb: casineb at Aels, am iddi fedru ei droi ef heibio am ddyn salach. Petasai hi wedi priodi rhywun gwell; ond Guto Pant y Drin! A buasai ganddi ryw esgus petai'n methu fforddio priodi. Gallai Eban fforddio cystal ag unrhyw un o'i gyfoed.
>
> Cododd ar ei eistedd. Yr oedd y gwynt wedi distewi a'r noson yn oleuach. Nid oedd ond duwch i'w weled ymhobman: daear dywyll, cloddiau tywyll, ac ambell ddraenen ddu yn sefyll yma ac acw wrth ochr y cloddiau. Ac yno yn yr unigedd a'r duwch, tynghedodd Eban na byddai a fynnai ef â merched byth wedyn.[6]

Diwrnod glawog yn cyfleu iselder a diflastod

Mae disgrifiad o ddiwrnod glawog yn medru cyfleu teimladau o iselder a diflastod megis Dafydd Apolloni ar ôl bod yn yr Eidal am ychydig yn teimlo'n unig ac yn hiraethu am gwmni. Mae ei ddewis o eiriau yn cyfleu ei unigrwydd gyda'r geiriau 'digalon' a 'gwacter trwm' yn allwedd i'w deimladau yntau:

> Mae'r glaw'n disgyn dros Rufain. Mae'r awyr yn wyn a llwyd uwchlaw'r toeau a'r waliau melyn ac oren, sy'n futrach heddiw, a'r cerrig gwlybion ar y llawr yn adlewyrchu'r tywyllwch. Mae'r ymbarél ar du blaen y pizzeria wedi ei frychu gan wlybaniaeth, a'r byrddau a'r cadeiriau, sydd fel arfer yn llawn, wedi'u pentyrru. Ychydig o bobl sy'n cerdded ar y stryd, sy'n rhes ddigalon o geir a goleuadau coch. Mae gwacter trwm yma; mae'r ddinas wedi stopio a phopeth yn crogi'n ddisymud ar linyn gwlyb, fel diwrnod sydd ddim yn cyfri, nad yw'n rhan o fywyd go iawn. Mae pawb ar goll a dydw i ddim yn gwybod be' i'w wneud hefo fi fy hun heddiw.[9]

Dyma'r glaw yn cyfleu anobaith a diflastod a gwacter colli cyfaill annwyl:

> Bu heddiw'n ddiwrnod stormus ar ei hyd, er mai yn lled-dywyllwch y strydoedd culion ar gyrion Paris y dechreuodd y glaw ddisgyn o ddifri. Wrth iddo edrych drwy ffenestr yr Hotel du Commerce i'r stryd islaw, gwelai Ceri'r glaw yn peltio'i nodwyddau blaenllym yn ddidrugaredd i gledwch y ffordd a'r palmant, nes gwlychu pob twll a chornel. Dawnsiai'r nodwyddau yn ôl fodfeddi i'r awyr wrth daro'r ddaear, nes gwlychu traed, esgidiau a llodrau y sawl a geisiai ddianc rhagddynt. Un neges oedd i alar tawel, cyson y glaw. Gwlychu, a boddi. Gwlychu, a boddi.[14]

Goleuni a phrydferthwch byd natur yn cyfleu llawenydd a hapusrwydd

Cefndir o oleuni a heulwen a phrydferthwch byd natur sy'n cyd-fynd â meddwl person hapus mewn cariad a geir yn y disgrifiad yma gan Rhydwen Williams:

> Cyfarfu Tomos a Maggie y noson honno ar ochr mynydd Pen-twyn. Disgwyliai amdani ar boncyn y mynydd yn edrych i lawr ar y gerddi a'r tai. Tu ôl iddi, gorweddai'r haul fel rhyw hen long-hwyliau mawr yn baent i gyd wedi angori yn y ffurfafen. Saethai'r pelydrau'n aur a choch i bob cyfeiriad. Pan ddisgynnodd ei lygaid ar Maggie yn agosáu ato, gallai wirio ei bod yn cerdded allan o'r haul, ei hwyneb a'i llygaid a'i gwên yn rhan ohono, a'i liwiau'n glogyn ar ei hysgwyddau. Cerddai'n urddasol, gam ar ôl cam, ac yr oedd syllu arni y funud honno i Domos yn union fel pe bai heb weld merch erioed o'r blaen yn ei fyw. Adnabyddai enethod. Roedd ganddo chwiorydd. Ffansiodd ambell lodes hwnt ac yma. Ond – merch! MERCH! Ni welsai un erioed o'r blaen tan y gwelodd hon yn dyfod allan o'r haul tuag ato… a'i hwyneb yn dod yn amlycach fel y ciliai disgleirdeb yr haul hwnnw ei chorun a'i hamrannau a'i gruddiau a'i thrwyn a'i gwefusau a'i gên a'i gwddf yn cymryd lle'r pelydrau ysblennydd, nes i'r haul mawreddog bylu… ac nid oedd dim arall o'i flaen yn awr ond wyneb hudol, annwyl, hawddgar, a rhyfeddol y ferch odidog hon. "Maggie!" dywedodd.
>
> "Tomos!" atebodd hithau.[1]

Newid naws a chefndir gwahanol i bob naws

Gall awdur ddefnyddio mwy nag un naws gan greu cefndir gwahanol i bob naws megis y gwna Kate Roberts yn y stori *Gorymdaith*. Mae'r naws yn y stori yn newid sawl gwaith. Dechreuir y stori'n drist a digalon, ond wrth orymdeithio mae ysbryd Bronwen yn codi:

> Wrth fyned heibio i'r tomenni lludw a'r annibendod yn yr heol gefn cynyddai ei gobaith, ac erbyn iddi gyrraedd yr heol fawr a'i thai mwy a glanach teimlai'n ddiysgog yn ei gobaith yn y Ffrynt Unedig.
>
> Ailgychwynnodd, a cherddodd yn ysgafn heibio i dai heb arwyddion tlodi ynddynt. Methai beidio ag edrych i mewn iddynt a rhythu ar ddrych y sideboards a adlewyrchai'r llestri arian ar eu byrddau. Fe gai hithau rai felly rywdro.[6]

Wrth i Bronwen flino, a'r orymdaith yn ymddangos yn ofer sylwn fod ei theimladau hi a'r naws yn newid eto:

> Erbyn hyn âi'r haul i lawr yn isel ar y gorwel, ac yr oedd un ochr i'r cwm yn ddu yn ei gysgod ei hun. Dechreuodd oeri, a daeth eisiau bwyd ar Bronwen. Gwynegai ei thraed, a theimlai ochr allan i sawdl ei hesgid yn troi fwyfwy. Cydymdeimlai'n fawr â'r dyn â'r traed mawr erbyn hyn, oblegid mae'n amlwg y câi drafferth i gerdded, a chiciai hithau ef yn amlach. Siaradai'r merched doniol lai. Yn y distawrwydd, clywai wanc ei newyn ei hun yn cadw sŵn yn ei hochr. Fel y lleihâi'r siarad, ai sŵn cerdded y dorf fel sŵn defaid yn cerdded ar ffordd galed.[6]

Gwrthgyferbyniad rhwng cefndir ac amgylchiadau neu deimladau cymeriad

Weithiau gall awdur ddefnyddio cefndir i wrthgyferbynnu â sefyllfa cymeriad. Mae hon yn hen ddyfais ac fe'i ceir yn llenyddiaeth gynnar Cymru:

> Yn Abercuawg y canant gogau
> Ar gangau blodeuawg
> Gwae glaf a'u clyw yn fodawg.

Yn y disgrifiad yma mae'r ffaith bod haul a haf tu allan yn gwneud sefyllfa'r claf yn fwy trist:

> Deuai aroglau gwair i mewn i'r siambr drwy'r ffenest. Yr oedd aroglau salwch ar y gwely.[6]

Ar y llaw arall gall teimladau person fod yn hapus a'r cefndir yn ddiflas fel hyn:

> Edrychai'r byd tu allan yn oer a chilwgus o hyd, dim diwedd i'r glaw a dim argoel gwên ar wyneb y ffurfafen, ond... iddi hi yn disgwyl ei chyntaf-anedig, roedd y byd heb ddychryn mwyach, dydd newydd ar wawrio, a'r dyfodol yn rhamant i gyd.[1]

⌦ YMARFER

1) Gwnewch baragraff sy'n defnyddio detholiad o eiriau i greu naws:

   i) awyrgylch trist

   ii) awyrgylch cynhyrfus

   iii) awyrgylch disgwyliad.

2) Gwnewch ddau baragraff sy'n cysylltu â'i gilydd mewn rhyw ffordd ond bod naws un yn gwbl wahanol i naws y llall.

3) Ewch ati i ddarllen *Ffair Gaeaf* Kate Roberts a chwiliwch am nifer o enghreifftiau o gefndir yn creu naws a newid naws mewn stori. Copïwch nhw yn eich *Llyfr Lloffion Llên* gan esbonio'r modd mae'r naws yn cael ei chreu.

Symbolaeth Mewn Rhyddiaith

Defnyddio symbolau

Gall awdur ddefnyddio symbolau yn ei waith. Yn aml mae'r symbolau canolog yn rhan o neges yr awdur ac yn ymdrech i gyfleu rhywbeth na fedrir yn bendant ei roi mewn geiriau.

Mae nifer o awduron yn defnyddio gwrthrychau fel symbolau. Gall un gwrthrych fod yn symbol o wahanol bethau megis, 'drws' a all fod yn symbol o 'ddechrau newydd', 'gobaith', neu 'gaethiwed'.

Dyma rai symbolau cyffredin:

tân	- cariad, cymdeithas		niwl	- ansicrwydd, unigrwydd
rhosyn	- harddwch, gobaith		cwsg	- diniweidrwydd, marw
eira	- tynerwch, purdeb		gwawr	- gobaith
machlud	- gobaith, diwedd		coeden	- teulu, natur

Awdures sy'n hoff o ddefnyddio symbolau yn ei gwaith yw Kate Roberts. Yn ei storïau hi mae golau a bwyd yn symbolau o gariad a chynhesrwydd perthynas pobl â'i gilydd ac yn symbolau o obaith hefyd. Yn y stori *Y Daith* mae bwyd a golau ar y cychwyn yn symbolau o gariad y cartref. Yna daw'r daith ac ar ddiwedd y stori mae'r naws yn newid eto pan welwn fod bwyd a golau a chroeso caredig yn disgwyl y teithiwr blinedig.

Yn yr un modd yn y stori *Gorymdaith*, sy'n darlunio tristwch ac anobaith diweithdra, gydag Idris y gŵr wedi suro gymaint ar ddechrau'r stori fel nad yw'n edrych ar wyneb neb wrth siarad. Erbyn diwedd y stori serch hynny mae Idris wedi cynnau tân a gwneud bwyd ac yn ogystal mae'n edrych ar ei wraig mewn tosturi – ac felly mae'r stori'n gorffen gyda'r symbolau bychain hyn o gariad a gobaith:

> Idris yn crasu tafell o fara ar flaen fforch wrth y tân. Troes ei lygaid oddi wrth y tost ac edrych i wyneb ei wraig, ac nid oedd y llygaid hynny yn ddidosturi.[6]

Yn y stori *Y Myfyriwr* gan Tsiecoff mae dagrau Fasilia ar ôl clywed am Pedr yn bradychu Iesu Grist yn symbol o boen a dioddefaint dynoliaeth ar hyd yr oesoedd:

> Dyma hi'n dechrau wylo, powliodd y dagrau mawr yn llif i lawr ei bochau... os criodd hi... roedd hi'n amlwg fod pethau a oedd wedi digwydd fil naw cant o flynyddoedd yn ôl yn berthnasol i'r presennol, i'r ddwy ohonynt ac yn ôl pob tebyg i'r pentref diarffordd hwn, iddo ef ei hun ac i bawb.[18]

Mae Tsiecoff ar ddiwedd y stori'n defnyddio prydferthwch y machlud fel symbol o obaith.

Yn aml iawn mae defnydd awdur o liwiau yn symbolaidd:

du	–	symbol o anobaith, drygioni, marwolaeth, tristwch, ofn
glas	–	glas yw lliw'r nefoedd, hapusrwydd
gwyrdd	–	ieuenctid, diniweidrwydd
llwyd	–	anobaith, diflastod
coch	–	angerdd, gwres, perygl
gwyn	–	diniweidrwydd, purdeb, daioni, gobaith
melyn	–	hapusrwydd, llawenydd, cariad

Yn *Un Nos Ola Leuad* mae *glas* bob amser yn cael ei gysylltu â phrofiad hapus – yma cysylltir y gair *nefoedd* â *glas* i gyfleu'r symbolaeth:

> Gafel di yn fy llaw i, medda hi, a gafael yn fy llaw i'r un pryd a'i llaw hi'n feddal ac yn gynnas braf... A dyma fi'n ei weld o, gweld y môr am y tro cynta rioed, a stopio'n stond a gwasgu llaw Ceri'n dynnach.

> Oedd yr olygfa run fath â tasa'r awyr o'n blaena ni wedi agor fel cyrtans a dangos y Nefoedd inni, a llawr y Nefoedd run fath ag oeddwn i wedi dychmygu amdano fo pan oeddwn i'n gorfadd ar Foel Garnadd wedi colli ffordd ac yn sbïo i'r awyr. Oedd y llawr yn las, las a'r haul yn sgleinio arno fo...[5]

Gall awdur ddefnyddio mwy nag un symbol mewn stori. Enghraifft dda yw *Y Cwilt* gan Kate Roberts.

Y symbol cyntaf yw cyfyngu'r digwydd i stafell wely ac i wraig mewn gwely er mwyn cyfleu gwasgfa feddyliol. Mae hi'n disgrifio gwraig mae ei gŵr wedi methu mewn busnes a'r dynion yn dod i nôl ei holl eiddo y diwrnod hwnnw – mae geiriau allweddol yma i gyfleu'r trasiedi:

> Agorodd y wraig ei llygaid ar ôl cysgu'n dda trwy'r nos. Ceisiai gofio beth a oedd yn bod. Roedd rhywbeth yn bod, ond am eiliad ni allai gofio beth; megis y bydd dyn weithiau y bore cyntaf ar ôl i rywun annwyl ganddo farw yn y tŷ. Yn raddol, daw i gofio bod corff yn yr ystafell nesaf. Felly Ffebi Williams y bore hwn.

> ... daeth i gofio mai dyma'r dydd yr oedd y dodrefn i fynd i ffwrdd i'w gwerthu. Daeth y boen a oedd arni neithiwr yn ôl i bwll ei chalon.

> ... daliai Ffebi Williams i syllu drwy'r ffenestr ar yr awyr a orweddai ar orwelion ei hymwybyddiaeth. Ni chofiai fore ers llawer o flynyddoedd pan gâi orwedd yn ei gwely a syllu'n ddiog ar yr awyr, pan fyddai ei meddwl yn wag a'r awyr yn llenwi ei holl ymwybod. Heddiw, nid oedd ond yr un peth ar ei meddwl, sef y ffaith bod ei phriod wedi torri yn y busnes, a bod eu holl ddodrefn, ac eithrio'r ychydig bethau a oedd yn hollol angenrheidiol iddynt, yn mynd i'w gwerthu...[6]

Yr ail symbol yw'r cwilt. Mae'r wraig yn cofio dyddiau gwell a'r symbol o'r dyddiau gwell yw'r cwilt sy'n gysur i ddal gafael ynddo yn yr argyfwng eithaf:

Cofiodd rŵan fod y cwilt yn y gist yn barod i'w werthu, a daeth iddi ddyhead cyn gryfed am ei gadw ag a oedd iddi am ei brynu. Penderfynodd na châi'r cwilt, beth bynnag, fynd i'r ocsiwn.[6]

Y trydydd symbol yw sŵn y tu allan i'r stafell − symbol o fyd mawr creulon. Byd lle mae hi a'i gŵr yn fethiant ac wedi colli pob dim. Mae'r sŵn yn dod yn nes yn raddol, ac yn tyfu'n fwy nes bod y byd real yn tarfu arni ar ffurf dyn yn dod mewn i'w hystafell gyda'r chwerthin dirmygus yn uchafbwynt.

Mae'r symbolau i gyd yn dod at ei gilydd i greu diweddglo cryf lle cawn wraig mewn stafell wely wedi'i lapio'i hun mewn cwilt a phobl tu allan yn chwerthin yn wawdlyd, ddi-hidio:

Dyma sŵn men fodur draw wrth y llidiart. "Dyna hi wedi dŵad," ebe John, a chymerodd y ddau hambwrdd ar frys a rhuthro i lawr y grisiau. Gorweddodd hithau'n ôl gan lithro i'r un syrthni ag o'r blaen. Clywai'r drysau'n agor a sŵn traed yn cerdded. Roedd sŵn symud i'w glywed ym mhobman hyd y tŷ ar unwaith fel y bydd mudwyr dodrefn. Traed y dodrefn yn rhygnu ar hyd y llawr a chadeiriau'n taro yn ei gilydd. Ymhen eiliad dyma sŵn traed yn rhedeg i fyny'r grisiau a'u perchenogion yn chwibanu'n braf. I mewn â hwy i'r ystafell nesaf. Y gwely'n gwichian yn y fan honno wedyn. Neidiodd Ffebi Williams allan o'i gwely ac i'r gist. Tynnodd y cwilt allan ac aeth yn ôl efo fo i'r gwely ac eistedd. Lapiodd ef amdani gan ei roi dros ei phen. Gallai ei gweled ei hun yn nrych y bwrdd a safai yn y gongl.

Roedd fel hen wrach, y cwilt yn dynn am ei hwyneb, ac yn codi'n bigyn ar ei phen. Ar hyn dyma agor y drws gan un o'r cludwyr dodrefn, bachgen ifanc. Pan welodd hwnnw Ffebi Williams yn ei gwely felly, aeth yn ôl yn sydyn.

Ymhen ychydig eiliadau clywai hithau chwerthin yn dyfod o ben draw'r landing.[6]

Mae brân yn hen symbol o anffawd a marwolaeth. Yn nofel Caryl Lewis *Martha Jac a Sianco* mae'r frân yn symbol pwysig sy'n argoeli anlwc, anffawd, marwolaeth:

Tap, tap, tap.
Wrth ffenestr y parlwr. Dihunodd Martha fel bollten. Cododd ar ei thraed. Gallai weld cysgod rhywun wrth y ffenest.
Bang, bang, bang, ta-ta-tap.
Cydiodd yn y cyrten a symud ei hwyneb yn ara bach ymlaen i weld pwy oedd yno.
Bang, bang, bang, bang.
Llygaid duon ac adenydd lliw petrol.
Bang, bang, bang, bang, bang, bang.
Cigfran anferth yn ysu am gael dod i mewn. Neidiodd calon Martha.
Bang, bang, bang, bang, bang, bang.
Roedd hi'n bwrw'r ffenestr gyda chymaint o bŵer nes bod ei phig yn waed i gyd, a hwnnw'n tasgu dros y ffenestr. Roedd ôl crafion cig a gwaed ar y gwydr. Roedd y cochni ym môn ei phig yn poeri i'w llygaid. Gwelodd hi Martha drwy gornel ei llygaid a hedfanodd i ffwrdd fel gwrach i mewn i'r tywyllwch. Gwyliodd Martha hi'n gadael trwy'r ffenestr frwnt, a theimlodd y cadno a'r piano yn gwenu'n ddirmygus y tu ôl iddi.[10]

Defnyddio disgrifiad manwl i ddweud rhywbeth yn symbolaidd

Dweud bod y plentyn yn rhy dlawd i brynu sgidiau newydd mae Caradog
Prichard fan hyn:

> Oedd hi'n stido bwrw glaw yn y bora a finna'n eistadd yn Rysgol a
> nhraed i'n wlyb achos bod fy sgidia i'n gollwng dŵr.[5]

Mae'r rhif 364 Darwin Road yn creu darlun o dai teras tlawd ac unffurf
cymoedd de Cymru yn stori Kate Roberts *Buddugoliaeth Alaw Jim:*

> Yn 364 Darwin Road eisteddai Ann a Tomi wrth dewyn o dân yn y 'rwm
> genol'. Roedd yr ystafell yn llawn ac yn fyglyd.[6]

Defnyddio golygfa neu gefndir yn symbolaidd

Gall awdur ddefnyddio tymor neu'r tywydd fel cefndir yn symbolaidd:

gwanwyn	-	gobaith a bywyd newydd
haf	-	hapusrwydd
hydref	-	newid, tristwch
gaeaf	-	marwolaeth, anobaith
diwrnod glawog	-	diflastod, tristwch, anobaith
diwrnod heulog	-	gobaith, llawenydd

Yn y stori *Ffair Gaeaf* mae'r tir llwm a llwyd a welir o'r trên wrth deithio i'r
ffair yn symbol o undonedd a diflastod bywyd bob dydd y bobl:

> O'r tu allan roedd gwlad lom o ffermydd am filltiroedd – y caeau'n
> berffaith lwm, a'r tai'n edrych yn unig a digysgod ar y llechweddau, ac
> o'r trên felly yn edrych yn anniddorol i'r sawl nad oedd yn byw ynddynt.
> Roedd yn braf yn y trên cynnes, a'r niwl ar y ffenestri yn hanner cuddio
> llwydni eu bywyd beunyddiol ar y ffermydd.[6]

Weithiau mae person yn mynd ar daith yn symbol o daith bywyd. Yr
enghraifft enwocaf yw *Taith y Pererin* John Bunyan. Yn y stori *Y Taliad Olaf*
mae Kate Roberts yn darlunio undonedd taith fisol i dalu yn y siop fel symbol
o undonedd rhigolau bywyd ac fel symbol o arwriaeth y person cyffredin yn
dal ati er gwaethaf pob anhawster:

> Am yr hanner canrif o'r cerdded hwnnw y meddyliai Ffanni Rolant wrth
> daro ei throed ar y ffordd galed. **Ni fethodd wythnos erioed,** ond
> wythnos geni ei phlant, bob rhyw ddwy flynedd o hyd. **Fe fu'n mynd**
> drwy rew a lluwch eira, gwynt a glaw, gwres a hindda. **Fe fu'n mynd**
> pan fyddai ganddi obaith magu, a phan orweddai rhai o'r plant yn gyrff
> yn y tŷ. **Bu'n rhaid iddi fynd** a chloi'r drws ar bawb o'r teulu ond y hi
> yn y gwely dan glefyd. **Bu'n rhaid iddi fynd** ar nos Wener pan gleddid
> dau fochyn nobl iddi, Gruffydd Rolant wedi gorfod eu taro yn eu talcen
> am fod y clwy arnynt, a hithau'n methu gwybod o ba le y deuai'r rhent
> nesaf. **Roedd yn rhaid iddi fynd** pan nad oedd cyflog ei gŵr yn ddigon
> iddi drafferthu ei gario gyda hi. **Mae'n wir iddi fynd** â chalon lawen
> weithiau hefyd ar ben mis da, pan fedrai dalu swm sylweddol o'i bil.
> Ond wrth edrych yn ôl, ychydig oedd y rhai hynny o'u cymharu â'r lleill.
> Gwastadedd undonog y pen mis bach a gofiai hi orau.[6]

Mae Caradog Prichard yn defnyddio cerdded y Lôn Bost fel symbol o daith boenus dyn drwy fywyd yn *Un Nos Ola Leuad*. Mae'r disgrifiad o'r dyn gwallgof Em yn cerdded y Lôn Bost yn symbol o Caradog Prichard ei hun, a'r swigod ar ei draed a gweiddi am ei fam, yn symbolau o boen ac unigrwydd taith bywyd:

> Be welsom ni'n dŵad rownd y tro ond Em Brawd Now Bach Glo. Roedd o ar ganol Lôn Bost, yn cerddad yn siarp efo cama mân, fel tasa fo'n gwisgo sgert yn dynn am ei bennaglinia, a'i ên o'n sticio allan a'i lygaid o'n rhythu i fyny Lôn Bost… Gan Moi y cawsom ni'r hanas amdano fo ar ei linia ar ochor y lôn, wedi tynnu'i sgidia a'i draed o'n swigod i gyd ac ynta'n crïo a gweiddi am ei Fam.[5]

✑ YMARFER

1) Gwnewch dri disgrifiad cryno lle mae'r disgrifiad yn dweud yn symbolaidd rywbeth wrthon ni am y cymeriad.

2) Gwnewch baragraff lle mae teimladau cymeriad yn gwrthgyferbynnu â'r cefndir.

3) Darllenwch *Ffair Gaeaf* Kate Roberts a *Martha Jac a Sianco* gan Caryl Lewis a chwiliwch am nifer o enghreifftiau o ddefnyddio symbolau a disgrifiadau symbolaidd. Copïwch nhw yn eich *Llyfr Lloffion Llên* gan esbonio techneg ac effeithiolrwydd y symbolau.

4) Chwiliwch am ryddiaith sy'n darlunio person yn methu mewn bywyd, fel yn *Y Cwilt*, neu ryddiaith sy'n cyfleu diwedd cyfnod fel yn *Y Taliad Olaf*. Cymharwch sut mae'r gwahanol awduron yn ymdrin â'r themâu, gan nodi'r hyn sy'n debyg ac yn wahanol ynddynt. Copïwch eich trafodaeth yn eich *Llyfr Lloffion Llên*.

Adeiladwaith Mewn Rhyddiaith

Adeiladwaith mewn stori/ysgrif

Weithiau mae awdur yn creu adeiladwaith bendant sy'n rhoi trefn a datblygiad i stori neu ysgrif. Mae Eleri Llewelyn Morris yn *Mae'n Ddrwg Gen i Joe Rees* yn defnyddio cadwyn o gwestiynau i greu adeiladwaith pendant:

> Pam ddaethost ti i eistedd ata i, Joe Rees?
> Pam afaelaist ti yn fy llaw i, Joe Rees?
> Pam yr arhosais i yno gyda thi, heb symud, Joe Rees?
> Beth a ddigwyddodd i ti, Joe Rees?

ac yn gorffen gyda'r geiriau:

> Mae'n ddrwg gen i, Joe Rees[1]

Ceir yr un math o adeiladwaith yn ysgrif Islwyn Ffowc Elis, *Cyn Mynd*:

> Petai gennyf fis i fyw...
> Mi awn i'm hen ysgol.
> Mi awn i Drofa Celyn.
> Mi awn at bont Hafod-y-Garreg...
> Mi awn unwaith eto i hel llus ar lethrau'r Foel...
> Mi awn i weld Môn unwaith eto.
> Mi awn eto i Soar.
> Mi awn i'r mannau hyn, hwyrach...[2]

☜ *YMARFER*

1) Gwnewch dri pharagraff byr gan ddefnyddio rhyw ddyfais lenyddol i greu adeiladwaith a chyswllt rhwng y tri.

2) Ewch ati i ddarllen *Cyn Oeri'r Gwaed* gan Islwyn Ffowc Elis a dadansoddwch adeiladwaith dair o'r ysgrifau.

3) Yn yr un modd gyda *Straeon Bob Lliw* gan Eleri Llewelyn Morris, dadansoddwch yr adeiladwaith yn y straeon canlynol: *Eli Brown, Stori Las, Llythyrau Esyllt, Noson y Fodrwy*. Ysgrifennwch yn fyr am bob un gan ddangos yr adeiladwaith gyda dyfyniadau yn eich *Llyfr Lloffion Llên* a thrafod eu heffeithiolrwydd. Nodwch hefyd y prif themâu yn y storïau hyn ac ymdriniaeth yr awdur o'r themâu hynny.

Dulliau Naratif

Mae'n bosibl sôn am wahanol fathau o naratif mewn rhyddiaith ac yn ein cyfnod bu llawer iawn o arbrofi gyda dulliau naratif a gyda ffurfiau.

Mae pob bardd a llenor yn siarad â ni trwy eu gwaith ysgrifenedig. Yr allwedd i ddeall y gwaith yw gofyn i ni ein hunain – beth mae'r awdur yn ceisio'i ddweud?

Yr hyn a wneir yn syml mewn naratif yw adrodd stori yn y ffordd fwyaf ddiddorol posibl gan ddefnyddio sefyllfaoedd a chymeriadau. Mae modd dweud stori mewn sawl ffordd.

Dull naratif y person cyntaf

Un dull naratif yw defnyddio llais yr awdur ei hun, y person cyntaf unigol "Fi." Mae'r awdur ei hun yn siarad drwy un o'r cymeriadau. Gwendid y dull yma yw nad yw'r awdur yn medru mynd i mewn i feddyliau'r cymeriadau eraill yn y nofel. Meddai Trollope, *"Mae bob amser yn beryglus i ysgrifennu o safbwynt "Fi" wrth adrodd stori, ac mae'n ddoeth, yn fy marn i, i wneud heb y rhagenw personol."*

Gall yr adroddwr gymryd swyddogaethau gwahanol mewn nofel. Mewn un nofel gall fod yn adroddwr anhysbys megis yn *Un Nos Ola Leuad*. Gall fod yn berson tu allan heb ran yn y digwyddiadau neu gymryd rhan yn y digwyddiadau. Gall, ar y llaw arall, fod yn gymeriad yn y nofel a chymryd rhan yn y digwyddiadau. Gelwir hyn yn safbwynt mewnol gan ein bod yn tueddu gweld y cymeriadau a'r digwyddiadau drwy lygaid un person, gyda safbwynt neu deimladau'r un person hwnnw'n lliwio'r naratif.

Mewn nifer o weithiau llenyddol modern aeth y safbwynt mewnol i reoli llawer ar y gwaith llenyddol gan arwain at greu gwaith nad yw'n fawr ddim ond llif digyswllt o deimladau a sylwadau. Er bod Jack Kerouac yn seilio ei lyfr *Ar y Ffordd* ar ddigwyddiadau go iawn a'r awdur yn siarad yn y person cyntaf yn hunangofiannol, mae'n cyfleu i ni ei emosiynau a'i farn yn glir ac mae hyn yn lliwio'r naratif. Galwodd Kerouac y math yma o ysgrifennu yn rhyddiaith ddifyfyr. Fe alwodd awdur arall, sef Truman Capote, y math yma o naratif yn *"Nid ysgrifennu ond teipio."*

Datblygiad arall ar naratif y person cyntaf yw naratif monologaidd lle mae'r awdur fel petai'n cyfarch y darllenydd cydymdeimladol. Weithiau mae awdur yn cymryd arno ei fod yn blentyn ac yn dynwared iaith plentyn. Dewis mynd i mewn i feddwl plentyn a dynwared dulliau plentyn o lefaru a meddwl a wnaeth Caradog Prichard yn *Un Nos Ola Leuad*.

Dull naratif y trydydd person

Dyma'r dull mwyaf cyffredin o ysgrifennu storïau a nofelau sef yn y trydydd person "Fe/Fo/Hi" sef disgrifio'r cymeriadau o'r tu allan. Gall yr awdur sy'n defnyddio'r naratif trydydd person fanteisio ar y dull o dreiddio i mewn i feddwl y cymeriadau. Gall yr awdur hefyd ddewis disgrifio ei gymeriadau'n fewnol ac allanol.

Yr awdur ymyrrol

Mae'r awdur yn ei gwneud hi'n amlwg ei fod yn adrodd stori, ac yn cyfarch y darllenydd o dro i dro. Dyma hoff ddull y nofelydd Henry Fielding, ac mae T. Rowland Hughes yn gwneud hyn hefyd yn *William Jones*:

> Gwn, ddarllenydd hynaws, dy fod yn hiraethu am droi'n ôl i gwmni William Jones, ac felly nid oedwn i sôn am ystumog Mr Green a phryder Leusa yn ei chylch.

Gwendid y dull naratif yma yw ei fod yn creu pellter rhyngom a'r cymeriadau ac yn peri i'r darllenydd edrych ar fywyd yn hytrach na'i brofi. Mae'r dull hwn felly'n torri ar yr hud a lledrith sy'n apelio at ddychymyg y darllenydd.

Yr awdur hollwybodol

Mae'r awdur yn sefyll o'r tu allan ac yn darlunio'r cymeriadau gan dreiddio i mewn i feddwl ei gymeriadau a gwybod eu meddyliau a'u teimladau. Dyma'r dull mwyaf effeithiol o ddarlunio cymeriadau. Mae'n ddull dramatig a diddorol sy'n dal ein sylw heb dorri ar hud y stori. Dyma hefyd, o bosibl, y dull gorau o fynegi realiti bywyd, gan fod gan bob cymeriad safbwyntiau gwahanol a gwahanol ffyrdd o edrych ar ei gilydd ac ar y byd.

> "*Credaf fod pob celfyddyd fawr yn amhersonol a gwyddonol... rhaid i'r artist fod yn ei waith megis Duw yn y greadigaeth – dylem ei synhwyro ymhob man, ond fyth ei weld.*" Flaubert

> "*Pwrpas y nofelydd yw cadw'r darllenydd rhag sylweddoli'r ffaith bod yr awdur yn bod – hyd yn oed y ffaith ei fod yn darllen llyfr.*" Ford Madox Ford

Dyma enghraifft o awdur yn sefyll o'r tu allan yn medru darlunio gweithredoedd y cymeriadau yn y paragraff cyntaf a hefyd yn mynd i mewn i feddwl un cymeriad yn yr ail baragraff:

> O hynny hyd y gwpanaid un ar ddeg, fe fu'r bore i Harri fel diwrnod. Pa un a oedd y dynion yn rhofio'n galetach er mwyn ceisio'i flino ef ai peidio, ni wyddai, ond yr oeddynt yn rhofio'n galed. Droeon, fe ddisgynnodd rhawiaid rhywun ar ei ben a'i sgwyddau ef, a'r dynion yn chwerthin. Fe geisiodd yntau chwerthin gyda hwy a mwynhau'i anghysur ei hun cystal â hwythau, ond yr oedd yn mynd yn anos, anos bob tro. Ac wedi cael cyfeirio ato droeon fel "Vaughan," "cog Lleifior" a'r "stiwdent", fe ddechreuodd Joni Watkin ei alw "Y B.A.". Adeg y gwpanaid unarddeg, aeth yn gystadleuaeth dyfalu rhwng y dynion am ba beth y safai'r ddwy lythyren anrhydeddus. Penderfynodd Twm Ellis mai am "Blydi Aristocrat." A hwnnw a lynodd.
>
> Drwy'r bore a'r pnawn, yn y seibiannau mynych ac yn enwedig ar yr awr ginio, yr oedd Harri'n siŵr fod y dynion yn ceisio'i brofi ym mhob

dull a modd. Rai oriau cyn diwedd y dydd yr oedd wedi hen gael digon ar eu siarad. Yr oedd eu sgwrs yn llawn o weithgarwch geudy a thrywsusau merched ac anlladrwydd buarth, wedi'u cyplu ag ansoddeiriau cydnaws. Ac eisteddent ar eu sodlau mewn barn ar weinidogion a blaenoriaid eglwysi Llanaerwen, ac yn drwm ar bob un yr oedd yn fywoliaeth iddo ymwneud ag unrhyw erfyn ond caib a rhaw. Hon, meddai Harri wrtho'i hun, yw'r Werin, y ddeallus a'r anfarwol Werin y glafoeriai'r sosialwyr llyfr uwch ei rhinweddau ar gadeiriau'r coleg. Da iawn fyddai i'r meddalaf o'r rheini dreulio diwrnod yn torri eira yn ei chwmni ar y ffordd gefn o Lanaerwen i Gaerllugan.[2]

↪ *YMARFER*

Chwiliwch am ryddiaith yn darlunio cymeriadau o wahanol ddosbarth neu gymeriadau â diddordebau gwahanol. Cymharwch sut mae'r gwahanol awduron yn ymdrin â'r themâu, gan nodi'r hyn sy'n debyg ac yn wahanol ynddynt. Copïwch eich trafodaeth yn eich *Llyfr Lloffion Llên*.

Arbrofi gyda dulliau naratif a ffurfiau mewn gweithiau llenyddol cyfoes

Yn ein cyfnod ni, ac yn arbennig wedi arbrofion James Joyce, fe welwyd awduron yn cymysgu ffurfiau ac yn arbrofi gyda dulliau naratif gwahanol gan greu nofelau sy'n gymysgedd o ffurfiau. Ochr yn ochr â hyn aeth amryw hefyd fel James Joyce ati i ysgrifennu heb atalnodi. Dyma Dafydd Rowlands yn defnyddio'r un dull yn y darn yma:

> cymru drwy lygad y camera sgwâr gwydr o faint ewin bawd ac yn y twll petryal greigiau dyfed yn codi a gostwng ar linell bell nad yw yn bod y dŵr môr a chraig a mynydd a'r tu draw i bellter y cerrig glas ynghudd dan weirglodd a pherth mae awyr y baradwys o bob rhyw wlad y fwyaf dedwydd ei hystâd fe i gwelaf yn fy llygadcamera yn feddwdwll ar gecransbeit ac ar lofruddio enwau a beirdd yn ffariseaiddgyfiawn wrth groeshoelio'r un a gar butain a harddwch y fwltur yn grochfrwdfrydig yng nghynadleddau r pafiliynau gwyrdd a sgrech eu heddwch yn diasbedain drwy goridorau y dwr sydd wedi mynd dan bont y bywgraffiadur ar darn heb atalnodau yn y peniridin a phawb i ddarllen y gerdd fel y myn ebe meirionabercadwgan mae gen i bethau gwell i w gwneud fel darllen y fanercymrobarntaliesinytraethodyddageiriadurybrifysgoladwylygadbertalunevans.[7]

Defnyddiodd Caradog Prichard amryw o dechnegau arbrofol yn *Un Nos Ola Leuad* sef defnyddio dau fath o ysgrifennu – un yn ysgrifennu Beiblaidd ei naws ar ffurf adnodau ar gyfer ymsonau Brenhines y Llun Du a gweddill y nofel, yn gonfensiynol.

Awdur a ddefnyddiodd dechnegau arbrofol yn Gymraeg yw Aled Jones Williams a alwodd ei waith yn *Ffilm Mewn Geiriau*. Dyma enghraifft lle mae ffurf dyddiadur a nofel wedi'u cymysgu:

Dydd Llun, 1 Medi 1997
Roedd fy nhad yn 'i wely a napi amdano fo. Napi glas golau.

Dydd Iau, 4 Medi 1997
"Gweiddi am 'i fam mae o heddiw," medda'r metron wrtha i ar y ffor' i mewn. "Hen sein drwg," medda hi.

Dydd Gwener, 5 Medi 1997
Y stribyn cnawd yma yn plethu i'r dillad gwely oedd… fu… ydy? Nhad?… Nhad! Fel asgwrn tsiopan wedi'i chnoi a'i chnoi gin hen gi a'i gadal wrth ochor y dysbin. Sbwrial cnawd. Cnawd fel cadach llawr yn slwtsh ar stepan drws. Cnawd fel sgid gachu ar ban toilet. Hen-sach-dan-drws-o-gnawd-istopio-drafft. Dwi'n troi oddi wrtha fo. Mi wela i'n hun yn y drych. Iesu! dwi'n casáu hwn. Dwi'n eistedd ar erchwyn y gwely. Ac yn syllu ar bacad o digestifs ar 'i hannar. Dwi ar erchwyn pob dim, 'di mynd…

Dydd Sadwrn, 8 Tachwedd 1997
Nefi! Dad. 'Dach chi dan warchae yn y lle 'ma. Bytalions o focsys tishws, poteleidia o lwcosêd, bocseidia o fenyg rybyr, crims mewn potia mawrion a photia bychan, weips ac antiseptics. Geriach salwch. Yn gatroda o'ch cwmpas chi. A labeli pob un ohonyn nhw'n Susnag. Cwffiwch yn ôl, Dad. Lle mae'ch Cymraeg gwydn, cadarn chi? Yr eirfa oedd fel eurgyrn. Yr iaith eurdeyrn.

"Cup o' tea, love," medda un o wragedd y lle 'ma'n gwthio'i phen rownd y drws fel bratiaith. A'r glaw dwfnlwyd ar hytraws ar y gorwel fel picelli. Tu allan yn fan'cw ar y môr y mae yna storm yn codi. Poni welwch chwi hynt y gwynt a'r glaw, Nhad? A ma'ch llgada chi'n disgyn ar label pot. Sudocrem, medda'r llythrenna coch, powld. A chitha'n ddistaw fel y distawrwydd hwnnw ar ôl i rywun ddarllan cerdd.

Ar fy ffordd yn ôl adra gwelaf y nos yn tywallt drwy'r awyr fel inc-o-botel-wedi-ei-throi-drosodd-ar-ddamwain. A'r geiria Cymraeg yn diflannu un ar ôl y llall yn lli' diatal yr inc blw blac.[18]

Rhai Mathau o Ryddiaith

Dyddiadur

Gall dyddiadur gael ei gadw yn yr amser presennol neu yn y gorffennol.
Cofiwch mai detholiad o nofel Meg Elis *Cyn Daw'r Gaeaf* sydd isod ac mai
agwedd yr awdur ei hun yn unig sy'n cael ei fynegi:

> *Dydd Sul, Tachwedd 11.*
> Newid am Greenham: sgwennu am ddigwyddiadau'r dydd ar y diwrnod
> ei hun. Ond efallai y digwydd rhywbeth heno, ac yr aiff hwnnw i gofnod
> dydd Llun. Digwyddodd rhywbeth neithiwr, a dweud y gwir. Nid fy mod
> i'n ymwybodol ohono, diolch byth, yn fy mendar benthyg (bendar gwag
> Denise, sydd i ffwrdd am ychydig ddyddiau, yn ymweld â'i mam, sy'n
> sâl).
>
> Daeth criw o lanciau Newbury heibio i wersyll Orange Gate neithiwr,
> gyda'u 'hanrhegion' arferol. Dŵr, cachu, a gwaed anifeiliaid, yn domen
> dros y polythen bregus oedd eisoes yn dechrau cracio yn yr oerfel iasol.
> Pan ymwelom ni y bore yma, 'roedd tair o'r genod yn crafu'r cyfan i
> ffwrdd oddi ar doeau eu cartrefi. Dwylo un, Sarah, yr hynaf, yn las biws
> gan yr hin, lle nad oeddynt yn frown gan fudreddi. A hi, yn anad neb,
> oedd yn hymian *You can't kill the spirit*.
>
> Gaeaf – dyna pam fy mod i'n ddigalon. Mae hi'n oer ac yn wlyb ac yn
> annifyr, a 'tydi'r gerwinder go-iawn ddim wedi dŵad eto, hyd yn oed.
> Mae 'mendar i'n gollwng, ac yr ydw i wedi colli cownt o'r anwydau –
> neu'n byw gydag un parhaol. Hynny a'r chwain.
>
> Na, 'does dim diawl o ots mewn gwirionedd am yr oerni na'r budreddi
> na dim arall. Mae 'na oerni gwaeth yn fy nghalon i, mae 'na hiraeth yn
> llosgi fel rhew y tu mewn i mi. Mae arna i isio 'mhlant. Mae arna i isio'u
> gweld nhw, isio clywed 'u lleisiau bach nhw, isio clywed sut mae
> Angharad yn gwneud yn yr ysgol ac a ydi Gerallt wedi gollwng eto. Mae
> llythyrau Richard ac Elmian yn dweud popeth, yn adroddiadau ac yn
> gysylltiad, ond nid papur, nid geiriau sydd arna i isio, ond gweld cyrff glân
> pinc fy hogyn a'm hogan bach i, mae arna i isio gafael ynddyn nhw a'u
> mwytho nhw a dweud bod pob dim yn iawn, mae Mam yma, 'wnaiff
> dim byd eich brifo chi, 'wna i ddim gadael iddyn nhw...
>
> Heno. 'Wna i ddim gadael iddyn nhw. A dyma pam fy mod i yma. I
> stopio'r cythraul pethau rhag gwneud dim, rhag rhoi'r diwedd ar bob
> dim, a rhag troi popeth yn aeaf. Pitw, pitw yn erbyn y grym ofnadwy
> sydd i mewn yn fan'na. Ond dyna pam fy mod i yma. I weithredu. I
> wneud rhywbeth.[13]

Dychan

Pwrpas y dychanwr yw darlunio ffolineb dynion a thrwy hynny sbarduno newid mewn cymdeithas. Mae'r dychanwr yn aml yn creu darlun chwerthinllyd o bobl. Gellir dweud felly fod pob dychan yn creu darlun unochrog o bobl ac o'r byd.

Dyma Islwyn Ffowc Elis yn dychanu cymeriad Mrs Pugh:

> Boddodd Mrs Pugh y tri yn y car â chroeso. Buasai wedi cario bob un i'r tŷ petai'n gallu.[2]

Gall dychan fod yn greulon. Mae Daniel Owen wedi darlunio Marged yn *Enoc Huws* yn greulon iawn:

> ei rhinwedd pennaf oedd ei bod yn annaearol o hyll.

ac mae'n mynd ymlaen i gymharu Marged â gwahanol anifeiliaid:

> syrthiai i gysgu mewn dau funud a chwyrnai fel mochyn tew hyd adeg mynd i'r gwely.

Mae'r disgrifiad dychanol canlynol yn dangos agwedd yr awdur at y cymeriad yn glir. Yna mae'n darlunio ei gwisg yn ddychanol a'r ffaith ei bod yn fusneslyd, ac mae'r dialog yn dangos pa mor grachaidd yw hi:

> Rosie Hughes a gychwynnodd y gwrthryfel yn erbyn Twm Twm. Hen ferch biwis ac addurnol oedd Rosie, un bwysig ac urddasol iawn yn ei thyb ei hun. Eisteddai, yn dlysau a sidanau i gyd, yng nghongl y flaenaf o'r pedair sedd a ffurfiai ysgwâr i'r chwith o dan y pulpud a gwelai o'r fan honno bawb yn y gynulleidfa. Aeth y cyffro drwy ei holl blu sidanog pan ganfu Dwm Twm, y nos Sul gyntaf honno, a rhoes dro sydyn yn ei sedd a chodi ei gên i ddangos yn eglur i bawb yr ystyriai beth fel hyn yn warth ac yn sarhad personol. "Be' oedd y bwgan-brain 'na yn wneud yn y capel, Robert Davies?" oedd ei chwestiwn i'm tad cyn brysio'n fân ac yn fuan, fel iâr ar ei hurddas, allan o'r capel. Ond dal i ymddangos yn y sedd olaf a wnâi'r 'bwgan-brain', a phenderfynodd Rosie Hughes gysegru holl egnïon ei morwyndod gwyw i'r uchel swydd o'i yrru ymaith i'w ffordd a'i fyd ei hun.[11]

 YMARFER

Wedi darllen y nofel *O Law i Law*, chwiliwch am ryddiaith sy'n cyflwyno themâu tebyg. Cymharwch sut mae'r gwahanol awduron yn ymdrin â'r themâu, gan nodi'r hyn sy'n debyg ac yn wahanol ynddyn nhw gan drafod y cynnwys a'r arddull. Copïwch eich trafodaeth yn eich *Llyfr Lloffion Llên*.

Didactig

Pwrpas ysgrifennu didactig yw addysgu'r darllenydd – yn foesol neu'n wleidyddol. Ceir y math yma o ysgrifennu mewn pregethau ac areithiau ac weithiau mewn newyddiaduraeth. Nid yw'r awdur didactig yn hawlio bod yn amhleidiol. Mae'r ysgrifennu fel arfer yn emosiynol a'r awdur yn llosgi o gyfiawn ddig at anghyfiawnderau. Mae'r arddull yn gryf ac yn bwerus – a'r bwriad yw dylanwadu ac effeithio ar y darllenydd:

> Gwelir felly mai ail beth ac nid y peth pwysicaf yn y rhyfel nesaf fydd ymladd byddin arfog yn erbyn byddin arfog. Y byddinoedd awyr fydd bwysicaf yn y rhyfel hwnnw, a phennaf nod yr awyrblaniau bomio fydd dinistrio dinasoedd, eu llosgi a'u gwenwyno, troi gwareiddiad y canrifoedd yn ulw, gollwng i lawr, allan o ddiogelwch yr awyr, yr angau creulonaf ar wragedd a phlant a gwŷr di-arf a diamddiffyn, a sicrhau, os dianc rhai a'u bywydau ganddynt, na bydd nac annedd na bwyd i'w porthi nac aelwyd i'w cadw yn fyw. Bydd y byddinoedd awyrblaniau hyn mor niferus a nerthol fel na bydd y perygl i'r bomwyr eu hunain ond bychan. Hyfforddir hwynt o flaen llaw i anelu'n gywir at bob math o nod. Mewn gwaed oer hyfforddir hwynt; mewn byr amser daw'r gelfyddyd yn arferiad; a phan ddisgynnant i'r ddaear wedi gorffen distryw gwareiddiad a chyflawni'r anfadwaith pennaf yn hanes creadigaeth Duw, os gofyn un iddynt wedyn: 'Ym mhle y'ch hyfforddwyd chwi?' yr ateb fydd, 'Ym Mhorth Neigwl yn Llŷn ac yng nghyffiniau Ynys Enlli a Ffordd y Pererinion a Saint Cymru.' Dywedodd Emrys ap Iwan: 'Cofier mai'r Duw a wnaeth ddynoliaeth a ordeiniodd genhedloedd hefyd; ac y mae difodi cenedl y trychineb nesaf i ddifodi dynol-ryw'.
>
> Nid cyhoeddi syniad preifat o'i eiddo'i hun yr oedd Emrys ap Iwan yn y geiriau hyn. Y mae ei eiriau'n datgan yr hyn a fu erioed ac a erys heddiw yn rhan hanfodol o ddiwinyddiaeth foesol Cristnogaeth. Y mae deddf foesol Duw yn uwch na deddfau gwladwriaeth Lloegr, ac fe hawlia ein hufudd-dod ni yn erbyn llywodraeth Loegr. Y mae cynllun gwersyll Porth Neigwl yn bygwth angau i'r genedl Gymreig ac yn bygwth marwolaeth a dinistr i wareiddiad Cristnogol Ewrop. Yn enw deddf foesol Duw, yn enw Cristnogaeth, yn enw Cymru, galwaf arnoch i wrthwynebu hyd at eithaf eich nerth ac ym mhob un dull a modd y sefydliad melltigaid hwn, ac onis rhwystrir – yna ei ddifetha.[27]

Disgrifiadol

Disgrifiad manwl – creu darlun byw

Gall disgrifiad manwl mewn nofel greu darlun byw fel y gwna Islwyn Ffowc Elis:

> Roedd y *Cask and Flagon* cyn llawned ganol dydd ag ydoedd gyda'r nos. Tyrrai'r dynion busnes yno o bob cyfeiriad am eu glasiad-cyn-cinio, a buan iawn yr oedd y stafell yn glasu gan fwg pibell a sigarét. Eisteddent ar hyd y fainc a redai o gylch y stafell, yn pwyso'u cefnau ar y paneli derw, yn ddigon tebyg yn eu siwtiau duon a'u coleri gwyn i wenoliaid ar wifren delegraff. Pwysai eraill ar y cownter, a'u gwydrau o'u blaen, yn cyfnewid clyfebrau a doethinebau â'r barmyn gwynion. Safai'r gweddill

yn dyrrau hyd y llawr ble bynnag yr oedd lle, rhai yn rhythu'n ddywedwst i'w cwrw, y lleill yn siglo gan wawchiadau o chwerthin busnes. Yr unig fynychwyr nad oeddynt yno ganol dydd oedd y merched powdredig a fyddai'n llithro i'w lleoedd ar y fainc tua saith o'r gloch y nos.[2]

Disgrifio i greu naws

Er mai creu darlun a wneir wrth ddisgrifio mae'r math yma o ddisgrifiad yn creu naws arbennig ac yn aml yn cyfleu i ni agwedd yr awdur at y gwrthrych a ddisgrifir. Camgymeriad mawr yw gorddefnyddio disgrifiadau. Mae Tsiecoff yn ein rhybuddio y dylai disgrifiadau o fyd natur gyfrannu at awyrgylch stori neu nofel. Mae disgrifiadau o fyd natur yn addas dim ond pan fyddan nhw'n bwrpasol, pan fyddan nhw'n eich cynorthwyo chi i gyfleu i'r darllenydd rhyw naws arbennig, fel cerddoriaeth yn gefndir i adroddiad.

Gellir dweud bod gormod o ddisgrifiadau hirwyntog yn *Cysgod y Cryman* nad ydynt yn cyfrannu at naws arbennig sefyllfa neu ddigwyddiad ac felly'n amharu ar rediad y nofel.

Disgrifio i greu naws sydd yn y darn yma gan Hefin Wyn – disgrifia fryntni'r ddinas yn effeithiol iawn:

> Gwelaf lwydni'r strydoedd yn eglur. Mae'r palmantau yn frwnt gan lwch mân, a'r gwteri'n gyforiog o bytiau ffags, caniau diodydd, dalennau o bapurau dyddiol ddoe a phosteri wedi eu rhwygo. Llestri cardbord bwyd cymryd-i-ffwrdd siopau Tseineaidd, crofen crystau, poteli wedi eu torri'n siwtrws a chigach yn dew gan gynrhon. Bagiau sbwriel wedi eu rhacsan gan gŵn newynog. Wyau'n slecht, ffa pob, dail letys, growns te, a bwydach wedi ceulo yn un gybolfa ddrewllyd yn ddigon i droi stumog. Mae carthion cŵn dan draed bob rhyw dair llath o balmant.[8]

Un math o nofel neu stori sy'n dibynnu ar greu naws yw stori arswyd. Dyma enghraifft o greu naws arswyd mewn disgrifiad:

> Ych chi wedi cael y teimlad bod yna rywbeth o'r tu ôl i chi rywbryd? Mae e'n tyfu arnoch chi'n ara deg rywsut a'r mwya'r ych chi'n rhedeg oddi wrtho, y mwya siŵr ydych chi bod yn rhaid i chi fynd. Cyn pen munud wedi ailgychwyn y car, rown i'n berffaith siŵr bod gen i rywun yn eistedd yn y sêt gefn. Wyddoch chi, mae dyn yn gwybod rhai pethau heb eu gweld na'u clywed. A drwy ryw drydydd synnwyr, fe allwn i deimlo'r peth yma o'r tu ôl i mi. Yn wir, rown i cyn sicred bod rhywun yno erbyn hyn â mod i yn y car. Fe godais fy llygaid am amrantiad byr i edrych yn y drych bach, ond doedd dim yn hwnnw ond llun tywyllwch. Doedd 'na ddim sŵn anadl na sŵn symud, ond fe wyddwn ei fod yno a'i fod yn agos. Fedrwn i ddim troi'n ôl, tase rhywun yn cynnig ffortiwn i mi, a doedd dim amdani ond rhythu o 'mlaen i a dymuno am Lanymddyfri. Gwichiwn, sglefriwn rownd y troeon a'r cloc yn tafoli ar bedwar ugain yr awr. Rown i erbyn hyn fel taswn i'n disgwyl i ryw law wen, oer ddisgyn ar fy ngwar unrhyw funud neu ryw lais cras, crug dorri ar y distawrwydd llethol. Roedd y presenoldeb wedi meddiannu y tu mewn i'r car i gyd ac fe'i teimlwn yn gwasgu'n anweledig arna i o bob ochr. Ond yng nghanol y wasgfa i gyd, dyma weld goleuadau Llanymddyfri yn dynesu a jyst cyn dod i mewn i'r dref – fe gofia i'r fan am byth – dyma'r injan yn diffodd o dan fy nhraed i. Gwasgais y sbardun i'r bôn, ond arafai'r cerbyd drwy'r cwbl. Ond pan oeddwn i jyst

gyferbyn â'r ciosg a chystal â stopio, dyma'r injan yn ailgydio ac i ffwrdd â mi fel fflamiau.

Welson nhw ddim o 'nghysgod i drwy Lanwrda a Llansawel, ac wedi cyrraedd adre rown i'n diflannu i'r Mans bron cyn dod mas o'r car. Ddwedais i ddim gair wrth neb nes i mi ddarllen y newydd ar dudalen flaen y Western Mail drannoeth. 'Mystery call saves life.' Car wedi mynd dros ddibyn ar Fynydd y Dorth, un wedi ei ladd a'r llall wedi ei achub rhag gwaedu i farwolaeth am fod yr heddlu wedi derbyn ffôn o focs Llanymddyfri gan rywun. Rhywun a wrthododd roi ei enw.[17]

Disgrifio lliwgar (llyfrau teithio)

Un o nodweddion disgrifio lliwgar yw defnydd helaeth o ansoddeiriau. Gweld y prydferth a'r hyll a wneir yn y disgrifiad yma o ddinas yn Ne America gan Hefin Wyn:

> Roedd dinas La Paz i'w gweld yn gorwedd mewn hafn ar ffurf bowlen, a'r ffordd yn garegog a lleidiog. Igam-ogamodd y cerbyd dwmbwr-dambar o un ochr i'r llall er mwyn osgoi'r meini mwyaf a'r rhewynau dyfnaf. O'n cwmpas gwelem fyrdd o wragedd wedi eu gwisgo mewn sioliau amryliw, sgertiau llydan hyd at eu migyrnau, a hetiau crwn celyd ar eu pennau. Cariai nifer ohonyn nhw fabanod mewn sachlieiniau ar eu cefnau. Ym mhobman roedd yna lorïau wedi gweld dyddiau gwell a'r rheiny wedi'u parcio blith draphlith. Rhedai cŵn gwancus yn ôl a blaen. Golwg symol oedd ar y rhesi o adeiladau, ac roedd pob dim yn bendramwnwgl.
>
> Dyma gyrraedd ffordd darmac wrth ddisgyn i'r ddinas. Roedd llawr y dyffryn wedi ei orchuddio ag adeiladau uchel, ac ar hyd y llethrau roedd rhesi ar ben rhesi o dai adobe – tai wedi eu gwneud o fwd wedi ei sychu'n grimp. Roedd un stryd lydan fawr yn ymestyn ar hyd canol y ddinas, ac er ei bod yn newid ei henw o fan i fan fe'i hadwaenid gan bawb fel Pradó. Oddi tani gorweddai afon Choqueyapu lle'r arferid pannu'r graean i chwilio am aur.
>
> Gwelwn y strydoedd yn gyforiog o bobol: myrdd o Indiaid yn ceisio gwerthu manion, gwragedd yn eistedd yn eu cwrcwd ar y palmant a'u twmbwriach wedi eu taenu o'u blaenau, degau o gryts a gŵyr yn gwarchod stondinau cwyro sgidie, ac eraill, yn eu trueni, yn estyn eu dwylo i dderbyn cardod gan ymwelwyr, y gŵyr busnes a'r gwragedd trwsiadus sy'n swancio ar hyd y Prado. Dinas dinodedd a moethusrwydd, dinas llymder a llawnder; y prysurdeb i'w deimlo, y mynd a dod trybeilig, a'r dieithrwch.[8]

Disgrifiad yn defnyddio'r synhwyrau

Gall defnyddio'r synhwyrau wneud golygfa'n fyw ac yn gofiadwy.

> Cerddodd eto oddi wrth y tŷ. Roedd y pethau pwysig yn aros, beth bynnag. Roedd sŵn y pistyll i'w glywed o hyd draw ymhlith y coed gwern dan y boncyn. Yr un oedd aroglau meddwol yr hen wair, er bod y sied yn newydd. Yr un oedd gwyn blodau'r drain, a glas yr awyr, a brown pridd y buarth. A'r un oedd prebliach yr adar, a llygaid syn y dyniewaid yn cnoi cil wrth y ffens. Yr un, yn ei hanfod, oedd Blaen Cwm.[2]

Cynildeb Wrth Ysgrifennu

Mae'r rhan fwyaf o awduron da yn ysgrifennu'n syml ac yn uniongyrchol. Yn wir dawn fawr pob storïwr yw dweud ei stori'n gryno a diwastraff ac eto llwyddo i gyfareddu'r darllenydd. Mae T. Llew Jones a Caradog Prichard, er bod y ddau yn feirdd ac yn feistri ar bob dyfais lenyddol bosibl, yn fwriadol yn osgoi defnyddio hyd yn oed ansoddeiriau diangen er mwyn bod yn gynnil a diwastraff. Dyma enghraifft o naratif gan T. Llew Jones sy'n syml ac yn uniongyrchol:

> Gwelodd Twm ddau o'r ceffylau a oedd o flaen y gaseg ddu'n cloffi ac yn colli tir. Ond roedd pum ceffyl o'i blaen o hyd – heb sôn am y ceffyl llwyd mawr, a oedd yn glir ar y blaen.
>
> 'Mae'r 'Duke' wedi troi am adre!' gwaeddodd Rhys.
>
> Ni allai Twm dynnu ei lygaid oddi ar y gaseg ddu.
>
> 'Dim ond hanner milltir sydd ar ôl o'r ras!' gwaeddodd Rhys eto. Yna gwelodd Twm yr Osler bach yn plygu'n is ar gefn y gaseg. Roedd ei ben o'r golwg yn ei mwng, a oedd yn chwifio yn y gwynt.
>
> 'Mae e wedi rhoi'i phen iddi, Rhys Parri!' gwaeddodd.
>
> 'Fe ddylai fod wedi gwneud hynny cyn hyn!' gwaeddodd Rhys yn ôl.
>
> Yna gwelodd Twm y gaseg yn symud heibio i ddau geffyl arall. Roedd hi'n mynd ar ei heithaf yn awr.
>
> 'Yr arswyd! Mae hi'n mynd nawr, Twm!' meddai Rhys yn llesg.
>
> Ni allai Twm ddweud dim. Fe deimlai lwmp yn ei wddf wrth wylio'r gaseg brydferth yn gwneud ei hymdrech fawr.
>
> Daeth y gaseg yn ei blaen, gan redeg yn awr o ddifri calon, a chyda'r fath gyflymdra fel y distawodd y gweiddi croch.
>
> Doedd ond y 'Grey Duke' o'i blaen, ac roedd hi'n cau'r bwlch rhyngddi a hwnnw'n gyflym.
>
> Erbyn hyn gwyddai Twm yn ei galon ei bod hi'n mynd i ennill. Gwyddai y byddai'r Osler bach yn galw arni am un ymdrech olaf i fynd heibio'r 'Grey Duke' ac roedd yn ei hadnabod yn ddigon da i wybod y byddai'n ufuddhau i'r alwad.
>
> Yn y diwedd aeth heibio i Twm ugain llath o flaen y 'Grey Duke', ond prin y gwelodd ef hi'n mynd gan fod dagrau o falchder lond ei lygaid. Trodd at Rhys Parri ac roedd dagrau'n llifo i lawr dros fochau coch hwnnw hefyd.[21]

∽ YMARFER

1) Gwnewch baragraffau enghreifftiol o'r canlynol: disgrifiad manwl; disgrifiad dychanol; disgrifiad yn creu naws; disgrifiad synhwyrus; disgrifiad yn arddull Caradog Prichard neu Mihangel Morgan.

2) Mae'r llyfrau canlynol i gyd wedi cael eu hysgrifennu mewn arddulliau gwahanol: *Un Nos Ola Leuad* gan Caradog Prichard; *Y Dyn yn y Cefn Heb Fwstas* gan Eirug Wyn; *Y Ffordd Beryglus* gan T. Llew Jones; *Ysgrifau yr Hanner Bardd* gan Dafydd Rowlands; *Seren Wen ar Gefndir Gwyn* gan Robin Llywelyn; *Dyddiadur Dyn Dŵad* gan Dafydd Hughes a *Dan Gadarn Goncrit* gan Mihangel Morgan. Darllenwch ychydig o bob llyfr gan wneud nodiadau ar nodweddion arddull pob un a nodi'r prif thema.

3) Ewch ati i chwilio am un enghraifft o'r rhain mewn llyfrau: dyddiadur; dychan; ysgrifennu didactig; disgrifiad manwl; disgrifiad yn creu naws; disgrifiad synhwyrus.

4) Copïwch baragraff byr o wahanol fathau o ryddiaith yn eich *Llyfr Lloffion Llên*.

Cymeriadau Mewn Rhyddiaith

Cymeriad unochrog

Mae cymeriad unochrog fflat yn deip o gymeriad. Dim ond un agwedd neu ochr i'r cymeriad a welwn. Mae'n ddigon hawdd ei adnabod ac nid yw'n newid dim nac yn gwneud dim sy'n anghyson â'r teip nac yn ein syfrdanu.

Mewn llyfrau plant fel arfer y cawn gymeriadau stereoteip, sef unochrog.

Cymeriad amlochrog

Mae cymeriad crwn neu amlochrog yn gallu newid ac yn gyfuniad o dda a drwg. Mae'n debyg iawn i bobl go iawn sy'n meddu ar lawer o agweddau ac sy'n newid, weithiau'n llon weithiau'n drist, weithiau'n ddig weithiau'n garedig ac yn datblygu drwy'r amser. Fedrwch chi ddim rhagweld beth mae cymeriad amlochrog yn mynd i'w wneud fwy nag y medrwch chi ragweld ymddygiad pobl iawn mewn bywyd bob dydd. Os nad yw cymeriad yn eich synnu neu wneud rhywbeth gwahanol, yna nid cymeriad crwn ac amlochrog yw.

Gwrthgyferbyniad rhwng cymeriadau

Mae llawer o nofelwyr yn hoffi defnyddio cymeriadau gwrthgyferbyniol er mwyn dangos nodweddion y naill a'r llall yn gliriach. Enghraifft o hyn yw cymeriadau William a Leusa yn *William Jones* – William Jones yn dda a gweithgar – Leusa yn ddiog a gwastraffus.

Gwrthdaro rhwng cymeriadau

Mae llawer iawn o'r diddordeb mewn stori yn tarddu'n aml o'r gwrthdaro rhwng cymeriadau. Yn wir heb y gwrthdaro hwn ni fyddai na nofel na drama yn llwyddiant.

Mae gwrthdaro yn rhan o fywyd bob dydd. Gwelir gwrthdaro yn aml rhwng gŵr a gwraig, neu rhwng tad a mab. Yn *Chwalfa* T. Rowland Hughes mae'r gwrthdaro'n codi o ddioddefaint adeg y streic. Mae rhai streicwyr yn dal yn ffyddlon i'w hegwyddorion tra bo eraill yn ildio a thorri'r streic. Dyma olygfa sy'n darlunio gwrthdaro rhwng cymeriadau:

> "Wyddwn i ddim 'i fod o wedi gyrru'i enw i mewn," ebe hi.
> Nid oedd ond un ystyr i'r geiriau, a chododd Edward Ifans ei olwg yn reddfol tua'r cerdyn ar y silff-ben-tan. 'NID OES BRADWR YN Y TŶ HWN,' meddai'n chwerw wrtho'i hun.
> "Be'... be' ddigwyddodd bora 'ma, 'merch i?"
> "Roedd Jane, gwraig Twm Parri, wedi deud wrtha' i fod na griw o'r

'Snowdon Arms' wedi gyrru'u henwa' i'r chwaral a bod Ifor yn 'u plith nhw. Chwerthin wnes i: doeddwn i ddim yn 'i chredu hi. Ond pan welis i amlen y llythyr na bora, mi wyddwn 'i bod hi'n deud y gwir. 'Be' oedd y llythyr 'na, Ifor?' mi ofynnis i iddo fo yn y gegin fach ar ôl brecwast. 'O, dim o bwys,' meddai ynta'. 'Waeth iti heb a'i gelu o,' meddwn inna'. 'Fe fydd yr ardal 'ma i gyd yn gwbod ymhen diwrnod ne' ddau. Mae'n rhaid i bob Bradwr ddŵad i'r amlwg, wsti.' Fe wylltiodd yn gacwn, ac wedyn fe ddechreuodd ddadla' nad oedd o am weld 'i wraig yn llwgu. 'Ydyn' nhw'n bygwth peidio â rhoi chwanag o ddiod iti yn y 'Snowdon Arms'?' oedd f'atab inna'. Fe gydiodd yn f'arddwrn i a gwasgu nes... O, Tada, mae arna i ofn."...

"Gad di hyn i mi, Megan fach," meddai. "Mi ga' i air hefo Ifor amsar cinio." Yr oedd ei hwyneb hi'n llawn ofn. "Na, paid â dychryn. Sonia i ddim gair amdanat ti, dim ond i mi sylwi ar yr amlen 'na...

"Ifor?"

"Ia, Edward Ifans?"

"Mae arna' i isio gair hefo ti, 'machgan i." Yr oedd y llais yn dawel a charedig, ond crynai difrifwch rhybuddiol drwyddo.

Brysiodd Megan i'r gegin fach.

"Dim ond rhedag i'r llofft i nôl fy nghopi o'r 'Pererinion'," meddai Ifor. "Fydda' i ddim chwinciad. Ac mae arna' inna' isio gair hefo chitha', Edward Ifans."

Rhedodd i fyny'r grisiau, a thra oedd yn y llofft, trefnodd Edward Ifans frawddegau gofalus yn ei feddwl. Efallai y medrai ddarbwyllo'r llanc, efallai mai mewn hwyl uwch ei ddiod yn y 'Snowdon Arms' y gadawodd i Dwm Parri neu rywun tebyg yrru'i enw i swyddfa'r chwarel.

"Wn i ddim sut y medrwch chi fadda' imi, Edward Ifans," meddai Ifor, â chrygni mawr yn ei lais, pan ddaeth i mewn i'r gegin. Gogwyddodd ac ysgydwodd ei ben yn ddwys, gan syllu ar y llawr wrth ei draed, yn ddarlun o edifeirwch.

"Be' sy, 'machgan i?"

"Mi yrris f'enw i'r chwaral ddydd Iau dwytha', ac mi ges lythyr bora 'ma. Yr ydw' i'n... Fradwr, Edward Ifans. Ond 'fedrwn i ddim meddwl am Megan yn hannar-llwgu, a hitha' yn y... yn y stad y mae hi ynddi. Yr oedd y peth fel hunlla' yn fy meddwl i. 'Ydach chi... ydach chi'n credu y medrwch chi... fadda' imi?"

Cododd Ifor lygaid truenus i wyneb ei dad yng nghyfraith. Gwibiodd amheuon fel cysgodion chwim dros feddwl Edward Ifans, ond, wrth edrych ar yr wyneb ymbilgar, teimlai'n euog o ddrwgdybio a chamfarnu'r dyn ifanc o'i flaen.

"Mae'n demtasiwn yn fawr i lawar ohonom ni, 'machgan i," meddai. "Yr ydw' i'n falch dy fod di'n 'dyfaru fel hyn. Mi ofalwn ni na fydd Megan ddim yn diodda'. Mi gei yrru nodyn iddyn nhw yn tynnu d'enw'n ôl, ynte? Ac wedyn mi anghofiwn ni am y peth."

"Fedra' i ddim tynnu f'enw'n ôl 'rwan. Torri 'ngair y baswn i felly."

"Rwyt ti wedi torri d'air, Ifor. D'air droeon i'th gydweithwyr, 'machgan i. A chadw hwnnw y basat ti wrth beidio â mynd i'r chwaral. Mae d'addewid i'r dynion yn bwysicach ganmil na'r nodyn byrbwyll yrraist ti i'r Swyddfa."

"Ond 'fedra' i ddim gadal i Megan ddiodda', Edward Ifans, na'ch gweld chi'n gorfod rhoi help llaw inni, a chymaint o alwada' arnoch chi – Dan yn y Coleg, Llew yn tyfu mor gyflym, Gwyn yn..."

Tawodd yn sydyn. Dôi llais uchel, treiddgar, o'r gegin' fach.

"Wel, Meg, mi ddeudis i'r gwir, ond do?" A chwarddodd Jane, gwraig Twm Parri, dros bob man. "Gafodd o lythyr bora 'ma? Mae Sam

Tomos, un arall o griw'r 'Snowdon Arms,' wedi cael un. 'Roeddan' nhw wedi seinio hefo'i gilydd, hannar dwsin ohonyn' nhw – Sam a Jac Dat a Huw'r Drwm a Wil Phebe a Now Leghorn ac Ifor. Ar Twm 'cw yr oedd y bai, wsti." Cododd y chwerthin cwrs eto. "Fo ddaru berswadio Ffoulkes y 'Snowdon Arms' i beidio â rhoi diferyn arall iddyn' nhw heb arian parod ne' seinio i fynd yn ôl i'r chwaral. O, un da ydi Twm!" Chwarddodd Jane Parri eto, ond tawodd y chwerthin yn ddisyfyd fel y dywedai Megan rywbeth wrthi.

Yr oedd gwên denau, ddirmygus, ar wyneb Edward Ifans.

"Wel, Ifor?" meddai'n dawel.

Nid atebodd Ifor, dim ond rhythu'n ddig tua'r drws i'r gegin fach. Cymerodd Edward Ifans y cerdyn oddi ar y silff-ben-tân yn ei ddwylo, gan syllu arno heb ddweud gair. Gwelsant Jane Parri'n hwylio ymaith fel llong ar hyd llwybr yr ardd: dywedasai Megan rywbeth i'w ddigio, yr oedd yn amlwg.

"Mae hwn yn mynd i aros yma, Ifor," meddai Edward Ifans, gan nodio tua'r cerdyn yn ei ddwylo. "Mae 'na ddau lwybr yn agored iti, ond oes? Mi fedri dynnu d'enw'n ôl neu adael y tŷ 'ma. Dewisa di. 'Chaiff yr un Bradwr wneud 'i gartra' o dan fy nho i."

Siaradai'n dawel, ond nid oedd modd i neb gamsynied y penderfyniad yn y llais. Troes yn araf i daro'r cerdyn yn ôl ar y silff-ben-tân.

Gwylltiodd Ifor, a thaflodd ei ddicter bob rhagrith o'r neilltu. Nid actor oedd ef mwyach, ond Ifor Davies, llanc hunanol, dideimlad, diegwyddor.

"Roedd gynnoch chi fargan reit dda yn Nhwll Twrch ond oedd, Edward Ifans? Cerrig rhywiog, ynte, yn hollti fel menyn? Ac mae 'na gerrig am flynyddoedd yno, meddan' nhw i mi. Champion! Mi ga' i amsar bendigedig, on' ca'?"

Mingamodd yn greulon cyn ymsythu a throi ymaith. Cydiodd Edward Ifans yn ei ysgwydd.

"Be' wyt ti'n drio'i ddeud?"

"Dim ond fy mod i am anelu am y fargan honno. Wedi imi'ch clywad chi'n sôn cymaint amdani hi, mae'n biti gadal iddi fod yn segur, ond ydi?"

"Dos! Dos cyn imi…"[11]

☞ YMARFER

1) Ewch ati i chwilio am enghraifft o bob un o'r rhain:

   cymeriad unochrog; cymeriad amlochrog; gwrthgyferbyniad rhwng cymeriadau; gwrthdaro rhwng cymeriadau.

2) Wedi darllen y detholiad o'r nofel uchod, chwiliwch am ryddiaith sy'n cyflwyno thema gwrthdaro. Cymharwch sut mae'r gwahanol awduron yn ymdrin â'r thema, gan nodi'r hyn sy'n debyg ac yn wahanol ynddynt, a thrafod y cynnwys a'r arddull.

3) Copïwch eich trafodaeth yn eich Llyfr Lloffion Llên.

Dulliau o Ddangos Cymeriad Mewn Rhyddiaith

Disgrifiadau corfforol

Ffordd amlwg o wneud y cymeriad yn fyw i'r darllenydd yw ei ddisgrifio'n gorfforol. Wyneb y cymeriad yw'r nodwedd bwysicaf wrth ddisgrifio: llygaid, trwyn, ceg, dannedd, gwallt:

> Gŵr byr, cloff, braidd yn dew, oedd Ben Francis – o ran ymddangosiad, dipyn uwchlaw gweddill y criw. Gwisgai wasgod silsgin a chadwyn aur ar ei thraws ac yr oedd yn hoff hefyd o esgidiau go anghyffredin. Roedd gan Ben Francis hefyd ddant aur ymhlith ei ddannedd-gosod, modrwy fawr ar fys bach ei law chwith, a chyrliai ei fwstas yn big tenau bob ochr i'w wyneb. Gwisgai ddillad golau fel rheol, a het galed fechan am ei ben. Ymddangosai, yn wir, fel rhyw aderyn dieithr, lliwiog, a syrthiasai i blith cwmni o frain go aflêr.[11]

Darlunio osgo a nodweddion eraill cymeriad

Mae osgo cymeriad yn bwysig, crwm neu gefnsyth ac mae'r math o ddillad mae'n eu gwisgo hefyd yn dangos ei gymeriad.

Gall awdur ddefnyddio ansoddeiriau neu gyffelybiaethau a throsiadau i ddisgrifio ei gymeriad:

> Gŵr cadarn, ysgwyddog, breichiau canghennog, a phâr o ddyrnau-gordd oedd Edwin.[1]

> Gŵr cymharol fyr, llygaid gwydr, gwallt du marwaidd, gwefusau-malwod, trwyn hyll oedd Brown. Gŵr nwydwyllt, ystormus, difanars, anllythrennog ydoedd.[1]

Dyma ddisgrifiad crefftus Lyn Ebenezer o'i gyfaill Peter Davies, Goginan:

> Un i'w glywed oedd Goginan, nid un i'w weld. Ei lais oedd y rhodd fwyaf a dderbyniodd gan Dduw. Llais mawr, llais treiddgar. Petawn i'n cymharu llais Goginan â diod, Ginis fyddai'r llais. Tywyll a llyfn, yn llifo'n hawdd. Doedd ond angen iddo sibrwd, ac fe wnâi pawb ei glywed. Wedi meddwl, Ginis oedd ei natur hefyd. Doedd dim llwyd yn perthyn iddo. Roedd popeth naill ai'n ddu neu'n wyn.
>
> Ỳ bore ma yn y freuddwyd, yn Aberystwyth oedden ni, yn crwydro strydoedd y dre. Edrychai fel yr arferai edrych. Tomen o aflerwch ac annibendod. Mwdwl o farf ddi-lun a di-drefn. Crys a fu unwaith yn wyn wedi ei staenio â chwrw heb sôn am staeniau hylifau eraill y tu hwnt i ddychymyg dynol. Tei Coleg y Drindod wedi braenu yn hongian yn llac am ei wddf. Trowser llwyd rhy gwta yn gadael tair modfedd o sanau yn y

golwg, sanau a fu'n bartneriaid unwaith i sanau o liwiau gwahanol. A blêsyr ddu a oedd yn brwydro brwydr unochrog yn erbyn troi'n wyrdd. Ac am ei draed, sandalau a allent fod wedi eu gwisgo gan Ioan Fedyddiwr.[12]

Dychanu cymeriad

Gall awdur wawdio cymeriad drwy wneud disgrifiad anffafriol ohono/ohoni:

> Neli Neis yr oedd pawb yn galw Miss James yn y pentref. 'Neli' – gan mai Elin oedd ei henw cyntaf, a 'neis' gan ei bod mor sidêt a gwastad. Roedd hi'n cerdded yn neis, yn eistedd yn neis, ac yn siarad yn neis. Roedd ei dillad hi bob amser yn berffaith a doedd byth flewyn o'i le yn ei gwallt.[4]

Sylwadau adroddiadol yn darlunio cymeriad

Y mwyaf amlwg o dechnegau awdur yw sylwadau llanw ar y modd mae'r person yn llefaru fel hyn:

> "Fe all fynd i ddiawl," **meddai hi gan boeri ei geiriau'n gas.**
> "Ydy, mae'n drist," meddai. **Yna bu distawrwydd hir a syrthiodd deigryn i lawr ei foch.**

Gall awdur ddefnyddio berfau i ychwanegu at ein gwybodaeth – geiriau megis: *gwenodd; cyfarthodd; bloeddiodd.* Mae hyn yn gymorth i'r awdur i wneud ei gymeriadau'n fyw o flaen ein llygaid.

✎ YMARFER

1) Gwnewch enghreifftiau o'r dulliau gwahanol o greu cymeriad a nodir uchod.

2) Ewch ati i chwilio am dair enghraifft o bob un o'r rhain mewn gwahanol nofelau:

disgrifiadau o gymeriadau

disgrifiadau dychanol

deg enghraifft o sylwadau adroddiadol.

3) Copïwch nhw yn eich *Llyfr Lloffion Llên.*

Dialog yn Darlunio Cymeriadau

"Does dim yn gwneud i chi adnabod cymeriad pobl yn well na'u clywed yn siarad."
Kate Roberts

"Mae'r bod dynol mewn nofel yn gyntaf ac yn bennaf a bob amser yn fod dynol sy'n siarad."
Bakhtin

Mae gan bob cymeriad ei briod lais ei hun ac mae'r hyn mae'n ei ddweud yn darlunio ei gymeriad. Mae dialog yn medru dangos nid yn unig gymeriad y person ond hefyd ei ddeallusrwydd, ei gefndir a'i addysg. Wrth gwrs, dyw awdur ddim yn defnyddio dialog sy'n cyfateb yn union i iaith bob dydd, oherwydd mae'n dethol a dewis ac yn sicrhau bod y dialog yn dilyn confensiynau'r iaith lenyddol o ran cywirdeb ac atalnodi. Dylai'r iaith serch hynny awgrymu'r iaith a siaredir bob dydd.

Tafodiaith mewn dialog

Un dull o lafareiddio iaith, heb golli cywirdeb llenyddol, yw dileu llythrennau mewn gair, 'ffenestr' yn 'ffenest'; 'd'wedodd' yn lle 'dywedodd'. Weithiau mae'r ffurf lafar yn ychwanegu llythyren arall – 'pobol' yn lle 'pobl'. Weithiau hefyd mae gair yn cael ei sillafu'n union fel mae'n cael ei ddweud. Dyma enghraifft o dafodiaith mewn dialog. Fedrwch chi ddweud o ba ardal o Gymru mae'r darn canlynol?

> 'Ma' ni,' mynte Wil. 'Bydd rhaid i fi fido am hwn, 'na gyd ambythdu 'ddi.'
> 'Sa funed,' medde Ianto, gan dwlu pip fach fanylach ar y creadur. 'Alli di ddim bido am hwnna.'
> 'Wel ma' fe hytrach yn 'sgyrnog, wy' ddim yn gweud llai.'
> 'Ie ond nid 'na'r broblem. Smo ti'n gweld? Hwch yw e w.'
> 'Dim ots 'da fi 'se fe'n fa'dd, hwnna ne' ddim. A wy' ddim yn mynd sha thre hebddo fe ta beth sy'n digwydd.'[13]

Dialog ethnig

Gall awdur ddefnyddio dialog i gyfleu tarddiad ethnig person. Dyma Eirug Wyn yn cyfleu mai Sais yw'r Cynghorydd Higgingbotham drwy gyfrwng y dialog:

> "Mister Khadeirith. Tra rhydhoo hee'n cytuno hevo sylweth yr hyn mha'r Cinghorydd Cayo yn ei thweid, fedrha i ddeem cyheeno hefo'i ieithwedd. Ohnd mae hee'n cam mhaoor ah vo i'w gyrru vo o'r cyvarffod."[14]

Dialog dychanol

Weithiau bydd cymeriad yn siarad mewn ffordd arbennig er mwyn i'r awdur ei ddychanu neu wneud sbort am ei ben. Roedd T. Rowland Hughes yn edmygu pobl addfwyn a charedig ac yn casáu pobl sbeitlyd oedd yn greulon i rai llai ffodus. Mae dychan neu wawd yn amlwg yn y darn yma ganddo, sy'n disgrifio Rosie Hughes. Yma, y dialog yw prif arf y dychan sy'n darlunio gwraig hunanbwysig, ariannog:

> Y cam cyntaf a gymerodd Rosie oedd ymweled â'm tad, trysorydd y capel, a digwyddwn innau fod yn y tŷ ar y pryd.
> "Dŵad i'ch gweld chi ynglŷn â'r capel, Robert Davies," meddai yn ei ffordd gyflym, gynhenllyd, gan frathu pob gair.
> "Eisteddwch, Miss Hughes," meddai fy mam.
> "Thanciw."
> "Roedd yn ddrwg gynno' ni glywad am eich profedigaeth chi, Miss Hughes," meddai fy nhad, mewn tôn a awgrymai mai rhyddhad iddo oedd deall i'w modryb, yr hen Edith Hughes, ymdawelu ar ôl ei holi swnian.
> "Ia, auntie druan, poor dear. Ond roedd hi bron yn seventy nine, you know, ac wedi cael bywyd reit happy. Amdani hi yr oeddwn i eisio'ch gweld chi, Robert Davies." [11]

Defnyddio dialog i greu darlun o gymeriad a'i gyflwr meddwl

Mae dialog Idris, dyn ifanc di-waith yn Ne Cymru adeg y dirwasgiad yn dangos ei fod wedi chwerwi yn erbyn bywyd oherwydd ei dlodi yn stori Kate Roberts *Gorymdaith*:

> Rwyt i'n ddigon twp i fynd i wrando ar y ffylied. 'Rw i'n gweud taw ffrôd yw'r blydi lot ohonyn nhw, a rwyt ti'n bradu d'amser a dy sgitshe i fynd i wrando ar shwd sothach. [6]

Mae gwraig fusneslyd, sbeitlyd yn poeni Sulwen am ei bod hi heb briodi yn *Noson y Fodrwy* gan Eleri Llewelyn Morris, ac mae'r dialog yn dangos mor greulon y gall pobl fod:

> Dydi hi ddim yn bryd i ti chwilio am ŵr, dŵad? Ta hen ferch fel dy fam wyt ti am fod? [4]

Dialog stacato

Defnyddia Caradog Prichard iaith dafodieithol, ystwyth, gynnil ac mae'r symlrwydd yn cyfleu diniweidrwydd plentyndod i'r dim:

> Wyddost ti be faswn i'n leicio?
> Na wn i.
> Mynd yn berson.
> A finna achan.
> Gneud dim byd ond canu a gweddïo trwy'r dydd.
> Fasa raid iti stopio rhegi.
> Dew, ydw i byth am regi eto. [5]

Dialog safonol

Mae'r mwyafrif o storïwyr neu nofelwyr yn ysgrifennu dialog yn yr iaith lafar safonol.

Dialog areithiol

Barn y nofelydd Anthony Trollope oedd na ddylai dialog fod yn hirwyntog. Mae siarad bob dydd pobl gyffredin yn cael ei wneud mewn brawddegau byr sydyn sydd yn aml iawn heb eu gorffen. Ni ddylai'r un cymeriad lefaru mwy na rhyw ddwsin o eiriau ar y tro – heblaw bod yr awdur yn medru cyfiawnhau ei hun gyda llif hirach o araith oherwydd achlysur arbennig. Er hyn gall dialog monologaidd hir fod yn ddiddorol megis y monolog hir yma allan o lyfr taith Dafydd Apolloni yn *Hen Wlad Fy Nhad*:

> "Mae'r gogledd yn gyfoethog a'r de yn dlawd; yn y gogledd mae'r prif ddiwydiannau ac felly yno mae'r perchnogion grymusaf; yn Torino ceir ffatrïoedd Fiat a'r ganolfan economaidd yw Milan. Y teulu Agnelli sydd berchen Fiat, ac ym Milan ceir pencadlys ymerodraeth economaidd Silvio Berlusconi. Mae'r de ar y llaw arall yn llwm, mae'r Maffia yn rheoli a'r bobl yn ddiog – o leiaf, dyna ddywed pobl y gogledd. Ar ben hynny mae Agnelli yn llywydd ac yn berchennog tîm pêl-droed Juventus ac mae Berlusconi yn llywydd AC Milan. Pam bod Juve, Milan a hefyd Inter wastad wedi arglwyddiaethu dros bencampwriaethau'r Eidal? A yw'n bosib mai pres sy'n gyfrifol? Neu wleidyddiaeth efallai? Mae chwaraewyr Juventus yn cael eu dewis yn awtomatig i chwarae dros eu gwlad, tra bod chwaraewyr Roma, Napoli neu Lazio yn cael eu hanwybyddu cyn amled â phosib. Pan fo timau fel Napoli hefo rhyw leidr pen-ffordd fel Maradona yn ennill y bencampwriaeth, a hynny ddwywaith yn olynol, mae fel petai rhywun yn gosod bom yn erbyn holl sefydliad yr Eidal.
>
> Ti'n meddwl eu bod nhw am adael i rywun y tu allan i'r grŵp yna o Filan a Torino ennill y scudetto'r flwyddyn yma, ar ôl i dîm fel Lazio ennill y flwyddyn ddiwetha? Ti'n gall, dywed? Mae'r Eidal heddiw, fel erioed, wedi'i seilio ar arian. Arian a grym. Yr eglwys, y Maffia, dynion busnes o bob math. Mae arian yn rheoli popeth rŵan. Mae Berlusconi yn taflu pob math o gachu ar y teledu hefo'i sianeli o, a hysbysebion bob dau funud…"

Dialog digyswllt

Dywedodd y nofelydd Ford Madox Ford fod pobl yn tueddu i beidio ateb neu ddilyn rhesymeg sgwrs flaenorol. Mewn bywyd go iawn ychydig iawn o bobl sy'n gwrando! Mae'r dull anuniongyrchol, torri-ar-draws y siarad yn werthfawr ar gyfer rhoi syniad o gymhlethdod bywyd:

> "Mae gyda fi boen ofnadwy yn fy nghefn ers wythnosau nawr. Rwy wedi gweld y meddyg ddwywaith ond dim ond rhoi tabledi i fi mae e."
> "Newydd ddod nôl o Tunisia mae John y gŵr a fi."
> " Ges i bwl poenus neithiwr – bydd rhaid i fi ofyn am weld arbenigwr."
> "Mae llawer o bobol yn disgwyl ond oes e. Mae'n gas gyda fi orfod aros fel hyn."

☞ **YMARFER**

1) Gwnewch enghreifftiau o'r mathau gwahanol o ddialog a nodir uchod.

2) Ewch ati i chwilio am dair enghraifft o bob un o'r rhain yn nofelau Islwyn Ffowc Elis: tafodiaith mewn dialog; dialog areithiol; dialog dychanol; dialog stacato. Copïwch nhw yn eich *Llyfr Lloffion Llên*.

3) Mae gwahanol dafodieithoedd yn cael eu defnyddio yn y dialogau uchod. Dadansoddwch nodweddion ieithyddol y gwahanol dafodieithoedd a nodwch pa ardaloedd sy'n defnyddio'r tafodieithoedd hyn.

Araith fewnol neu lif meddyliau yn darlunio cymeriad

Yn stori'r *Diafol* gan Maupassant mae llif meddyliau dau gymeriad yn dangos nad oes ganddyn nhw unrhyw gariad at yr hen wraig sy'n marw. Mae Tomi'r mab – yr un a ddylai fod yn caru ei fam yn dangos drwy ei feddyliau nad oes dim cariad yn ei galon – ddim ond yn meddwl am yr arian y bydd yn rhaid iddo dalu i'r wraig sy'n mynd i ofalu am ei fam:

> "Cyfrifodd ar unwaith ei bod hi wedi ennill deg ceiniog oddi arno." [23]

Mae Doli sy'n gofalu am yr hen wraig yr un mor ddideimlad a chreulon heb gariad tuag ati. Yn allanol mae hi'n ymddangos yn berson cariadus yn gweddïo ac yn nôl yr Offeiriad i roi'r cymun olaf i'r hen wraig, ond yn ei meddyliau mae'n datgelu ei gwir deimladau:

> Roedd arni awydd – awydd gwallgof – i gymryd yr hen wraig benderfynol, bengaled gerfydd ei gwddf, a gwasgu tipyn arni er mwyn atal yr anadl bach hwn oedd yn mynd â'i hamser a'i harian. [23]

Gall awdur ddefnyddio llif meddyliau i ddangos i ni sut mae pobl weithiau yn cuddio eu gwir deimladau, megis yn stori D. J. Williams, *Blwyddyn Lwyddiannus*. Yn y stori mae'n ymddangos bod Rachel yn gas ac yn ddig wrth Teimoth gan ei bod newydd ei erlid o'i thyddyn, a'i dialog yn awgrymu casineb:

> "Dere di at 'y nhŷ i 'to, heb i fi hala dy hôl di, dyna i gyd, yr hen glemog salw 'ny!" [24]

Mae'n taflu tyweirch ato, ond mae ei llif meddyliau yn datgelu ei bod hi mewn gwirionedd yn ei hoffi:

> Rywsut teimlodd ei chalon yn cynhesu ato. Roedd ei waeth e i'w gael wedi'r cyfan. [24]

Dethol manylion arwyddocaol i gyfleu cymeriad

Fe ddywedodd E. M. Forster mewn llythyr at Roal Dahl, "*yn ein crefft ni yr hyn sy'n bwysig yw rhoi sylw i fanylion.*" Fe ddywedodd Tsiecoff ei fod yn dethol a dewis y manylion pwysig yn unig wrth ddisgrifio. "*Rhaid i mi adael i destun hidlo drwy fy nghof hyd nes bod dim ond yr hyn sy'n bwysig neu'n nodweddiadol yn aros.*"

Mae llawer o grefft ysgrifennu felly yn y manylion – y disgrifiadau bach hynny sy'n dweud llawer iawn wrthon ni.

Mae Islwyn Ffowc Elis wedi dewis yn fanwl pa fanylion mae am eu rhoi am y cymeriad yma er mwyn creu darlun byw ohono:

> Yr unig un yn y cerbyd dosbarth cynta, het ddu feddal-galed am ei ben, yn darllen y *Financial Times* trwy sbectol-talu'n-breifat.[2]

Gall un disgrifiad cynnil o wisg neu osgo person ddweud wrthon ni beth yw sefyllfa person megis y disgrifiadau yn *Gorymdaith*:

> Wedi gorffen botymu ei chôt, edrychodd Bronwen ar ei thraed. Yna troes ei phen tros ei hysgwydd i edrych a oedd **twll yn ei hosan**, a chododd ei sawdl i edrych am ba hyd y daliai ei **hesgid heb ei sodli**. Yna edrychodd ar y lle a wisgasai'n denau o gwmpas poced ei chôt. Gwnâi hyn i gyd yn agwedd un yn ymwybodol o'i thlodi ac eisiau bod yn dwt arni.
>
> Ar gadair galed ar yr aelwyd eisteddai Idris, ei gŵr, **a'i ben i lawr, yn edrych i'r tân fel y bydd dynion sydd wedi pwdu wrth yr holl fyd.** Yr oedd hynny i'w weled yn ei lepen ac yn ei osgo. **Wrth siarad â'i wraig cyfarchai'r llecyn lle safai, neu'r lle tân, ond nid y hi.**[6]

🔖 YMARFER

1) Gwnewch ddau baragraff yn defnyddio manylion allweddol i greu cymeriad.

2) Ewch ati i chwilio am dair enghraifft mewn gwahanol nofelau o ddethol manylion arwyddocaol i gyfleu cymeriad. Copïwch nhw yn eich *Llyfr Lloffion Llên*.

3) Chwiliwch am enghreifftiau o awduron yn darlunio tlodi a'r darlun a gawn o gymeriadau yn byw mewn cymdeithas dlawd. Dangoswch beth sy'n debyg ac yn wahanol yn y cymeriadau hyn.

4) Copïwch nhw yn eich *Llyfr Lloffion Llên*.

Plot neu Gynllun Mewn Nofel

Gwendidau

Yn ôl E. M. Forster, *"Plot yw naratif o ddigwyddiadau gyda phwyslais ar achos ac effaith"*. Yn syml, plot yw'r cynllun sydd gan yr awdur yn ei feddwl i roi trefn gredadwy i'r hyn sy'n digwydd yn y nofel.

Yn anffodus, ychydig iawn o awduron sy'n llwyddo i greu undod credadwy mewn nofel, yn wir ceir llawer iawn o wendidau yn y rhan fwyaf o nofelau.

Darnau amherthnasol

Gwendid mewn plot yw darnau sy'n amherthnasol i brif rediad y stori. Meddai Trollope, *"Ni ddylai fod digwyddiadau amherthnasol mewn nofel."*

Nofelydd da oedd yn euog o roi darnau amherthnasol yn ei nofelau oedd Daniel Owen ac roedd e'n ddigon onest i gyfaddef hyn: "Yr wyf fel ci Gwilym Hiraethog yn rhedeg ar ôl pob pry ac aderyn a ddaw ar draws fy llwybr." Ond rhaid cofio'r hyn a ddywedodd J. Gwilym Jones: "Mae nofel flêr sy'n sboncio gan egni bywiol yn fwy o werth na thaclusrwydd marwaidd".

Mae cynildeb yn bwysig iawn mewn stori fer lle mae pob gair a brawddeg yn bwysig. Meddai Tsiecoff: *"Dylai pob brawddeg a gair weithio i ddweud y stori heb hudo darllenydd i lecynnau diarffordd."*

Cyd-ddigwyddiadau rhyfedd ac annisgwyl

Gwendid mewn plot yw bod y nofelydd yn gorfod cael cyd-ddigwyddiadau annisgwyl er mwyn rhoi trefn ar y stori. Yn *Rhys Lewis* mae cyd-ddigwyddiadau annisgwyl – er enghraifft Gwen a Rheinallt yn darganfod sofrenni aur wrth dynnu'r grât a hynny pan oedd fwyaf o eisiau arian arnyn nhw! Ydych chi wedi sylwi ar enghreifftiau eraill mewn nofelau?

Diffyg undod

Mae diffyg undod yn wendid. Does dim amheuaeth bod diffyg undod yn nofelau Daniel Owen – maent yn llac eu gwead a cheir nifer o fân ddarluniau wedi eu llinynnu wrth ei gilydd. Fesul pennod yr ysgrifennai Daniel Owen y rhan fwyaf o'i nofelau, ac o ganlyniad mae'r nofel yn colli undod.

Cymeriadàu diangen

Gwendid mawr mewn nofel yw cyflwyno cymeriadau nad ydyn nhw'n hanfodol i'r stori. Enghraifft o gymeriad diangen yw'r meddyg Huws yn *Gwen Thomas*. Gweithreda fel sylwebydd, math o gorws, yn rhoi cyfle i'r nofelydd ymosod ar rai o gonfensiynau'r dydd.

Deus ex machina

Dyfais gyffredin nofelwyr y 19 ganrif oedd **deus ex machina** (Duw o'r Awyr y ddrama Roegaidd oedd yn dod i lawr i'r llwyfan i ddatrys y plot a chael diweddglo taclus). Ffordd slic ac anfoddhaol o orffen nofel yw newid cyfeiriad a defnyddio digwyddiadau cyfleus er mwyn cael rhoi terfyn taclus i nofel.

Diffyg datblygiad – dim syndod na rhyfeddod

Weithiau mae'r prif gymeriad yn statig, heb ddatblygu dim, ac mae hyn yn anniddorol. Dylai fod datblygiad ac elfen o gadw'r darllenydd i ddisgwyl a dyfalu. Yn ôl E. M. Forster, *"Mae'r elfen o syndod a dirgelwch yn bwysig iawn mewn plot"*. Tybed nad yw cymeriadau'r nofel *William Jones* yn rhy statig ac nad oes yna fawr ddim datblygiad na newid ynddyn nhw drwy'r holl nofel?

Cymeriadau heb reolaeth

Weithiau mae cymeriadau'n datblygu eu meddwl eu hunain, ac yn dilyn eu trywydd eu hunain heb ddilyn y plot. Yn nofelau Daniel Owen, mae'r cymeriadau'n rheoli'n llwyr ac yn bwysicach na'r plot.

Gormod o is-blotiau

Mae is-blotiau'n ddefnyddiol mewn nofel ac yn ysgafnhau'r darllen pan fyddwn ni'n dilyn hynt a helynt y mân gymeriadau, megis Terence a Wil James yn *Cysgod y Cryman*. Ond mae crwydro'n ormodol o'r prif blot yn wendid ac yn tynnu sylw oddi wrth y prif gymeriadau.

Plot yn lladd cymeriad

Gwendid yw bod plot yn rhy gryf a'r awdur yn gorfodi ei gymeriadau i gydymffurfio â chynllun arbennig – oherwydd mae hyn yn lladd y cymeriadau. Mae'n wir dweud bod Islwyn Ffowc Elis yn gorfodi nifer o'i gymeriadau i gydymffurfio â'r plot, Karl er enghraifft yn *Cysgod y Cryman*. Mae Karl yn rhy dda a sanctaidd ac mae hynny'n gwneud ei gymeriad yn anghredadwy:

> "Hyd nes y byddwch chi a Dr Rushmere wedi gwahanu am byth nid oes gen i ddim hawl i gyffwrdd â chi."

Diweddglo anfoddhaol

Mae'r rhan fwyaf o nofelwyr yn cael trafferth gorffen eu nofelau yn gredadwy ac yn foddhaol am ei bod yn anodd dirwyn y plot i ben. *"Mae'r rhan fwyaf o nofelau'n gorffen yn wan."* E. M. Forster.

Darlun o gymdeithas mewn nofel

Yn ddelfrydol dylai pob nofelydd, storïwr a dramodydd ddarlunio ei gymdeithas a bywyd yn wrthrychol ac yn ddiduedd. Rhaid iddo, yn fwy na dim, osgoi propaganda a phregethu. Mae'r nofelwyr gorau yn darlunio cymdeithas yn wrthrychol ac yn cydymdeimlo â'r cymeriadau.

Mae T. Rowland Hughes yn creu darlun delfrydol o gymdeithas. Dim ond gorau'r gymdeithas mae e'n dewis ei ddarlunio gan gau ei lygaid ar y drygioni. Gwendid dychanwr fel Daniel Owen yw creu darlun unochrog rhagfarnllyd o gymdeithas. Mae Islwyn Ffowc Elis yn rhai o'i nofelau yn euog o wthio

propaganda gwleidyddol i'r nofel megis yn *Wythnos yng Nghymru Fydd*.
Ystyriwch y gosodiadau hyn:

"Mae gwrthrychedd llwyr yn amhosibl i nofelydd." Islwyn Ffowc Elis

"Argraff yw nofel ac nid dadl dros nac yn erbyn dim." Thomas Hardy

Gwerthfawrogi

Ateb enghreifftiol – Rhyddiaith

Darllenwch y darn canlynol yn ofalus, yna atebwch y cwestiynau a ganlyn.
Gwas fferm yw Wil ar fferm Lleifior.

Roedd Wil yn byw yn un o'r ddau dŷ ar fin y ffordd a godwyd i weithwyr amaethyddol. Am ei fod yn weithiwr amaethyddol, a chanddo ddau o blant, ac wedi byw er pan briododd mewn bwthyn condemniedig yn y Llan, ac am ei fod yn arfer chware darts yn y Crown gydag un o gynrychiolwyr Llanaerwen ar y Cyngor Dosbarth, fe gafodd y tŷ. Ac er mai tŷ digon tenau ydoedd, wedi'i godi mewn brys, yr oedd yn blasty wedi'r hofel yn y pentref. Agorodd Wil y wiced ysgafn ac aeth i fyny'r grisiau concrid i'w dŷ.

Yn cwrdd ag ef yn y drws yr oedd cymylau o stem a bref baban wythmis o bram urddasol wrth y tân.

"Diawl!" meddai Wil James.

Daeth Sali'i wraig o'r gegin a mynd at y pram a rhoi dymi yng ngheg y baban.

"Ei ddannedd o sy'n poeni," meddai hi.

"Mi'u tynna'i nhw bob un os gweiddith y llymbar lawer rhagor," ebe Wil, gan daflu'i got law ar gadair.

"Wil!" ebe'i wraig. "Rhag dy gwilydd di! Ddost ti ag wyau?"

"Naddo."

"Llaeth?"

"Naddo."

"Dwyt ti ddim yn trio. A thithe'n gweithio ar ffarm. Mi wyddost mor ddrud ydi'r pethe i'w prynu."

Trodd Wil ati a'i wefusau'n glasu.

"Gwrando'r slwt! Os wyt ti'n meddwl 'mod i'n mynd i fegio llaeth ac wye i arbed i ti fynd i'r Llan i'w prynu nhw, 'rwyt ti'n gwneud mistêc go ffein. Ac os wyt ti'n meddwl eu bod nhw'n hawdd eu begio, mae dy fistêc di'n fwy. Mae dyrne'r ffarmwrs 'ma heddiw fel feis. Waeth iti drïo cael gwaed o faen llifo na thrïo cael wy gan ffarmwr heb dalu. A rŵan, cau dy geg. Mae genny waith i'w wneud."

Llyncodd Sali'r lwmp yn ei gwddw a throi i lapio'r dillad yn dynnach am y babi yn y pram. Aeth Wil at y seidbord a thynnu amlen o'r drôr. Agorodd hi, a thaenu'r pwls-pêl-droed ar y bwrdd. Taniodd Wdbein a tharo pin yn yr inc a gwyrodd dros ei 'waith'. Parhaodd y distawrwydd am ddeng munud cyfan. Rhoddodd Wil groes yma, un arall acw, ymgynghorodd â dau neu dri o bapurau wrth ei benelin, a chrafu rhagor o groesau ar y papur bach sgwarog. Ac yna, daeth alanas.

I lawr y grisiau o'r llofft daeth John, yr hynaf o'r ddau blentyn. Prin deirblwydd oed, a'i fochau'n gymysgedd amryliw o laid a jam. Yn ei ddwylo yr oedd llestr blodau gorau'r tŷ, ac arferai sefyll ar lintal y ffenest yn y llofft ffrynt. Yr oedd John yn cludo'r llestr blodau'n fuddugoliaethus i ryw bwrpas dirgel yng nghefn y tŷ. Ond trodd ei fam a'i weld.

"John!" gwaeddodd. "Beth wyt ti'n wneud â hwnna? Rho fo i mi mewn munud!"

Wrth weld wyneb ei fam, aeth y llawenydd o lygaid John. Daeth lliprwydd sydyn i'w fysedd, a chyn i'w fam ei gyrraedd yr oedd y llestr blodau'n ddeg darn ar y llawr. Gwyrodd John yntau i'r llawr, yn swp o ubain torcalonnus. Safodd ei fam uwch ei ben yn dwrdio. Rywsut, yn y styrbans, cwympodd y dymi o geg y babi ac ymunodd hwnnw yn y cyngerdd.

Taflodd Wil ei bin sgrifennu ar y bwrdd a chodi.

"Uffern gynddaredd!" taranodd. "Ac mae cartref yn nefoedd, ydi o? Dyma fi'n trio sgwennu tipyn o farddoniaeth ar y bwrdd 'ma ar ôl diwrnod caled yn y c'naea, ac yr ydech chi mor sbeitlyd ohono'i chaiff 'y meddwl i ddim gweithio am bum munud mewn heddwch!"

"Taw, Wil," meddai Sali.

"Tewi! Wyt ti'n dweud wrtha i am dewi, a thithe mor swnllyd â'r plant bob tamed?"

"Os oes arnat ti eisie gwybod, mae'r plant 'ma mor anfoddog am nad oes ganddyn' hw ddigon o fwyd yn eu bolie. A chân nhw byth, tra byddi di'n gwario pres eu bwyd bach nhw ar dy sigaréts a dy bapure ffwtbol. Ac mae'n debyg yr ei di i'r Crown rŵan a gwario chweugien yn fan'no cyn y doi di adre."

Syllodd Wil ar wyneb ifanc rhychiog ei wraig a'i gwddw crwm – wyneb a oedd unwaith yn fochgoch a gwddw a oedd unwaith yn feinsyth wyn, pan fu gorfod arno ef ei phriodi am ei dwyn i drwbwl. Pe cawsai'r dyddiau hynny'n ôl, fe adawsai lonydd iddi, bob blewyn ohoni.

"Diolch iti am roi'r syniad yn 'y mhen i," meddai wrthi. "I'r Crown yr â i, a chweugien waria' i, cyn y cei di glywed fy ogle i eto."

Ac wedi gwthio'r papurau'n frysiog i'r amlen, a gwthio'r amlen yn frysiog i'r drôr, trawodd ei gap parch ar ochor ei ben ac aeth allan i'r Crown, a'r tŷ'n crynu dan glep y drws o'i ôl. Am eu bod yn synhwyro'r trydan yn y stafell, yr oedd y plant wedi tewi tra bu'u rhieni'n pledu'i gilydd â geiriau, ond pan ddaeth y glep gyfarwydd ar ddrws y ffrynt, torrodd yr argae drachefn. Eisteddodd Sali i lawr i wylo gyda'i phlant.

Ateb Cwestiwn Arholiad

Yn yr adran hon ceir cwestiynau arholiad, gydag enghreifftiau o ateb da ac ateb gwan i bob cwestiwn. Ceir sylwadau ar yr atebion yn y blychau llwydion.

Pan fyddwch yn ateb cwestiwn mewn arholiad, cofiwch y bydd angen:

- Cyflwyno a dadansoddi cynnwys y darn yn eich geiriau eich hun gan nodi thema'r darn.

- Dadansoddi arddull y darn gan ddangos sut mae'r awdur yn cyflwyno'r hyn sydd ganddo i'w ddweud gan ddweud a yw e'n effeithiol yn eich barn chi.

- Ysgrifennu am weithiau llenyddol Cymraeg eraill sy'n ymdrin â themâu neu bynciau tebyg, gan nodi'r hyn sy'n debyg ac yn wahanol ynddynt.

Cofiwch y bydd angen i chi:

- DDARLLEN Y DARN YN OFALUS

- Wedyn, ei AILDDARLLEN gan wneud nodiadau ar ochr y dudalen neu danlinellu'r hyn sy'n bwysig o ran y cynnwys.

- Yna, ei DDARLLEN ETO gan wneud nodiadau ar ochr y dudalen neu danlinellu'r hyn sy'n bwysig o ran yr arddull.

Cwestiwn un

1. Cyflwynwch a dadansoddwch gynnwys y darn yn eich geiriau eich hun.

Ateb Da

> - dadansoddi a dehongli'r testun gan nodi'r hyn sydd ymhlyg
> - dangos prif themâu'r darn
> - arddangos dealltwriaeth gadarn o'r cysyniadau

Darlun o wrthdaro rhwng Wil a'i wraig sydd yn y darn hwn a'r gwrthdaro'n deillio o ganlyniad i amgylchiadau anodd y cwpwl, sef diffyg arian a hefyd hunanoldeb Wil y gŵr. Cawn baragraff disgrifiadol yn awgrymu'r tlodi, gan eu bod yn byw mewn 'bwthyn condemniedig' a *'hofel'* a chawn yr awgrym mai cysylltiadau Wil yn y Crown a sicrhaodd y tŷ presennol iddo. Yn y darn daw Wil y gwas adref o fferm Lleifior i sŵn sgrechian y babi sy'n torri dannedd. Ymateb Wil i hyn yw nid cysuro'r babi, fel y disgwyliech i dad ei wneud, ond yn hytrach ei fygwth gyda'r geiriau, *"Mi'u tynna i nhw bob un…"*

> - dyfynnu er mwyn cyflwyno tystiolaeth

> - dangos thema arall
> - arddangos dealltwriaeth gadarn o'r cysyniadau

Gwraig tŷ draddodiadol yw Sali, sydd gartref yn edrych ar ôl y plant gan ddibynnu ar gyflog ei gŵr am gynhaliaeth i'r teulu. Mae'n holi ei gŵr a ddaeth ag wyau a llaeth o'r fferm iddynt, ond atebion negyddol a gaiff ganddo a chŵyn nad yw ffermwyr yn bobl hael. Cawn yr awgrym fod Wil yn berson rhy falch i holi ei feistr am wyau a llefrith, *"Os wyt ti'n meddwl 'mod i'n mynd i fegio llaeth ag wye…"*

> - dyfynnu er mwyn cyflwyno tystiolaeth

Dengys ei wraig ei rhwystredigaeth wrth iddo ymddwyn mor hunanol, ond nid yw'n ymateb yn ymddangosiadol i'r cyfeiriad treisgar ati fel 'slwt' gan Wil, yn hytrach mae'n llyncu'r lwmp yn ei gwddf a throi at y babi yn y pram. Gŵyr y byddai Wil yn colli ei amynedd pe bai'n mentro ymateb. **Mae'n amlwg nad yw Sali'n gallu ymdopi, ond yn hytrach na chynnig cymorth iddi, troi ati i lenwi ei ffurflen pŵls a wnaiff Wil,** *"Taniodd Wdbein…a gwyrodd dros ei 'waith'."*

> - dyfynnu er mwyn cyflwyno tystiolaeth

Yna, daw eu mab teirblwydd oed i lawr y grisiau yn cario "llestr blodau gorau'r tŷ" ac wrth i'w fam weiddi arno mae'n gollwng y llestr yn deilchion ar lawr mewn dychryn. Canlyniad hynny fu sgrechian uchel yn gymysg â dwrdio'r fam ac o ganlyniad mae'r babi'n ail ddechrau sgrechian. Cyfeiria Wil at y ffaith y dylai cartref fod yn 'nefoedd' a nefoedd iddo ef fyddai cael gwneud fel y mynnai heb i neb darfu arno. **Yn hytrach nag ymateb fel gŵr a thad cyfrifol rhega ei wraig a'i chyhuddo o fod mor swnllyd â'r plant.**

> - datblygu ac ehangu syniadau'n drefnus

Aiff yn ffrae wrth iddi hithau ei gyhuddo o wastraffu arian drwy eu gwario ar y pŵls, smocio ac yfed. Edrych ar ei wraig yw ymateb Wil gan ei chymharu yn awr â'r hyn ydoedd pan fu'n rhaid iddo ei phriodi. Synna iddo erioed gytuno.

Ei ymateb i'w wraig, wrth iddi ei gyhuddo o wario ei arian ar gwrw yw troi ei gefn arni a mynd am y Crown, rhoi clep anferth ar y drws a'i gadael hi a'r plant yn crio ar yr aelwyd.

Ateb Gwan

Mae'r darn yn disgrifio Wil y gŵr a'i wraig sydd yn cwmpo mas. Mae Wil y gwas yn dod adref o fferm Lleifior ac mae'n mynd i fyny'r grisiau concrid i'w dŷ. Mae'n clywed sŵn bref baban wythmis, gan fod ei ddannedd yn ei boeni. Rhegi a bygwth y babi mae Wil.
Nid yw wedi dod ag wyau na llath o'r fferm ac mae'n cwyno bod dyrne'r ffermwyr heddi fel feis.

Yna mae Wil yn troi ati i lenwi ei ffurflen pwls a thanio Wdbein. Yna, mae mab Wil yn dod lawr y grisiau ac mae e'n cario llestr blodau gorau'r tŷ. Mae'n cael ofn ei fam wrth iddi weiddi arno ac mae'n gadel i'r llestr gwmpo lawr ac mae hwnnw'n torri'n deilchion ar y llawr.

Wedyn, ryn ni'n cael lot o sgrechen to a rhegi ac mae e'n gweud bod hi mor swnllyd â'r plant bob tamed. Wedyn mae hi'n gweiddi arno fe a gweud ei fod e'n gwastraffu arian ar y pwls, smocio ac yfed. Mae'n meddwl bod hi di newid llawer ers iddo fe ei phriodi ac mae'n mynd mas i'r Crown.

Sylwadau ar yr Ateb Gwan i gwestiwn un

- Mae'n gorddefnyddio ei dafodiaith e.e. heddi, llath, cwmpo, lot o.

- Mae'n defnyddio geiriau o'r darn, heb drafferthu eu rhoi yn ei eiriau ei hun. Nid eu defnyddio mewn dyfynodau a wna – mynd i fyny'r grisiau concrid i'w dŷ, ac mae e'n cario llestr blodau gorau'r tŷ.

- Gorddefnyddia '*Mae*…' yn enwedig ar ddechrau brawddegau, hefyd '*yna*' ac 'wedyn'.

- Nid yw'n dadansoddi na dehongli'r darn. Felly, does dim cyfeiriad at y thema ac nid yw'n cyfeirio at bersonoliaethau Wil a Sali a gaiff ei awgrymu yn y darn.

- Nid oes fawr o fanylder yn ei ateb, crynhoi'r amlwg a wna ac o ganlyniad nid yw'n dangos dealltwriaeth o'r cysyniadau.

- Nid yw'n cyflwyno tystiolaeth drwy ddefnyddio rhai dyfyniadau.

Cwestiwn dau

2. Dadansoddwch arddull y darn.

Ateb Da

Cawn baragraff disgrifiadol i agor sy'n gosod y cyd-destun mewn ffordd grefftus iawn. Awgrymir tlodi'r teulu wrth gyfeirio at dai blaenorol Wil fel *'bwthyn condemniedig'* a *'hofel'*. Cawn awgrym cynnil o gymeriad Wil fel person sy'n treulio llawer o'i amser yn y dafarn yn *'chwarae darts yn y Crown'*. **Mae'r portread a gawn o Wil yn llawn dychan, wrth i'r awdur ei ddisgrifio'n llenwi'r ffurflen pwls fel** *"gwyro dros ei waith"*. **Yna, wrth i'r plant sgrechian ac amharu arno dywed,** *"Dyma fi'n trio sgwennu tipyn o farddoniaeth ar y bwrdd 'ma"*.

- dadansoddi arddull a chyfeirio at y technegau a ddefnyddir
- cyflwyno tystiolaeth drwy ddyfynnu neu drwy gyfeirio at rannau penodol o'r testun

Mae'r dialog yn ymosodol gyda'r tensiwn a'r gwrthdaro rhwng y ddau yn amlwg o'r cychwyn cynta yn y rheg o ebychiad mewn ymateb i grïo'r baban *'Diawl!'* Mae'r dialog hefyd yn yr un ebychiad yn cyfleu mai person caled heb unrhyw gydymdeimlad yw Wil gan mai ei blentyn ef ei hun sy'n crio. Y mae ei osodiad *'Mi'u tynna i nhw bob un'*, yn cadarnhau'r darlun o ddyn caled ansensitif. Mae clyfrwch y dialog byr stacato yn dangos mor ddiamynedd y mae Wil wrth ateb ei wraig:

"Ddost ti ag wyau?"
"Naddo"
"Llaeth?"
"Naddo."

- cyflwyno tystiolaeth drwy ddyfynnu neu drwy gyfeirio at rannau penodol o'r testun
- defnyddio termau gwerthfawrogi llenyddiaeth

Llwydda i gyfleu'r elfen dreisgar yn Wil wrth ddisgrifio ei *'wefusau'n glasu'* ac wrth iddo gyfarch ei wraig fel *'slwt'*.

Yn y paragraff lle mae'r plentyn yn gollwng y pot blodau yn *'swp o ubain torcalonnus'*, mae'r awdur yn **adeiladu'r darn i gyrraedd uchafbwynt** yn y geiriau, *"cwympodd y dymi o geg y babi ac ymunodd hwnnw yn y cyngerdd."* **Mae defnyddio** *'cyngerdd'* **yn air trosiadol da i gyfleu'r holl sŵn ac i gyfleu'r gwrthgyferbyniad rhwng cyngerdd a'r ffraeo yn y darn.**

- cyflwyno tystiolaeth drwy ddyfynnu neu drwy gyfeirio at rannau penodol o'r testun
- defnyddio termau gwerthfawrogi llenyddiaeth
- dangos effaith y technegau hyn

Mae gan yr awdur allu i ddethol **disgrifiadau symbolaidd**. Mae'r ffaith fod wyneb y plentyn yn *"gymysgedd amryliw o laid a jam"* **yn awgrymu'r anhrefn yn codi o anallu'r wraig i ymdopi.** Hefyd llwydda i ddarlunio diffyg gwerthoedd Wil a'i hunanoldeb wrth i Wil wastraffu ei arian ar hunanblesera *"gwario pres eu bwyd bach nhw ar dy sigaréts a dy bapure ffwtbol…"* a hefyd wrth wario ei arian yn y Crown yn hytrach na sicrhau bwyd i'r plant.

- defnyddio termau gwerthfawrogi llenyddiaeth
- dangos effaith y technegau hyn

Gall yr awdur ddisgrifio'n gelfydd ac mae ei ddefnydd o ansoddeiriau wrth ddisgrifio Sali yn drawiadol sef *"wyneb ifanc rhychiog"*. Wrth ddewis yr ansoddair 'rhychiog' gydag 'ifanc', awgrymir gymaint roedd Sali wedi dioddef. Defnyddir **gwrthgyferbyniad** rhwng ei harddwch gynt a'i chyflwr presennol **'wyneb ifanc rhychiog ei wraig a'i gwddw crwm** – wyneb a oedd unwaith **yn fochgoch** a gwddw a oedd unwaith **yn feinsyth wyn'**.

Mae defnydd effeithiol o lif meddyliau yn y ddau ddarn ac ar ddiwedd y darn fe ddangosir bod Wil yn edifar iddo briodi erioed. Mae defnydd celfydd o sŵn a thawelwch yn y diweddglo gyda'r plant yn dawel wrth i'w rhieni ddadlau, ond yna sŵn y clep ar y drws yn eu dychryn ac yn gwneud iddynt grio unwaith eto. Defnyddir *'argae'* yn drosiadol i gyfleu'r crio.

Mae'r paragraff olaf wedi ei saernïo'n gelfydd gyda dwy frawddeg hir yn adeiladu darlun a'r ailadrodd o'r gair *'clep'* yn pwysleisio tymer ddrwg Wil. **Yna defnyddia frawddeg fer olaf yn gelfydd i gloi er mwyn cyfleu trasiedi'r sefyllfa ac anobaith y wraig.** *"Eisteddodd Sali i lawr i wylo gyda'i phlant."*

- dadansoddi arddull a chyfeirio at y technegau a ddefnyddir
- cyflwyno tystiolaeth drwy ddyfynnu neu drwy gyfeirio at rannau penodol o'r testun
- dangos effaith y technegau hyn

Ateb Gwan

Mae llawer o nodweddion arddull yn y darn ardderchog hwn. Mae'r awdur yn defnyddio rhegfeydd fel *"Diawl"* ac *"Uffern"* ac mae Wil y gŵr yn galw ei wraig yn slwt. Mae'r ffaith bod yr awdur wedi cynnwys dialog ar ddechrau ac ar ddiwedd y darn yn gwneud y gwaith yn fwy diddorol i'w ddarllen.

Dwi'n hoffi'r ffaith bod yr awdur yn defnyddio cyffelybiaeth wrth ddweud bod *"dyrne'r ffarmwrs 'ma heddiw fel feis."*

Mae'r awdur yn defnyddio llawer o ansoddeiriau wrth ddisgrifio'r wraig fel *"wyneb ifanc rhychiog"* a *"gwddw crwm"* hefyd *'meinsyth'*.
Mae'r awdur hefyd yn defnyddio cyflythreniad *'ac aeth allan'* ac *'y glep gyfarwydd'*.

Dw i'n hoffi'r ffaith bod yr awdur yn defnyddio ail adrodd yn y darn hefyd: *"Ac wedi gwthio'r papurau'n frysiog i'r amlen, a gwthio'r amlen yn frysiog i'r drôr."*

Er mwyn gwneud y darn yn ddiddorol mae'r awdur yn defnyddio brawddegau byrion weithie a brawddegau hir bryd arall.

Sylwadau ar yr Ateb Gwan i gwestiwn dau

- Mae'n defnyddio brawddegau llenwi diystyr a heb unrhyw sylwedd megis, "Mae llawer o nodweddion arddull yn y darn ardderchog hwn." Hefyd "dialog ar ddechrau ac ar ddiwedd y darn yn gwneud y gwaith yn fwy diddorol i'w ddarllen."

- Mae'n cyfeirio at y defnydd o gyffelybiaeth ac at y defnydd amlwg o ansoddeiriau ond nid yw'n ymateb iddynt a dangos pa mor effeithiol ydynt.

- Nid yw'n trafod pam mae'r awdur yn defnyddio brawddegau byrion a brawddegau hirion na pha mor effeithiol yw ei ddefnydd ohonynt.

- Does dim pwrpas tynnu sylw at eiriau sy'n digwydd dechrau gyda'r un llythrennau a'u galw yn 'cyflythreniad'. Rhaid gweld pwrpas i'r cyflythreniad cyn tynnu sylw ato.

Cwestiwn tri

3. **Ysgrifennwch am weithiau llenyddol Cymraeg eraill sy'n ymdrin â themâu tebyg, gan nodi'r hyn sy'n debyg ac yn wahanol ynddynt.**

Rhan Agoriadol Ateb Da

Gwrthdaro yw hanfod y darn a gwrthdaro rhwng gŵr a gwraig oherwydd amgylchiadau anodd ac o agwedd anghyfrifol y gŵr. Mae'r gwrthdaro yma'n fy atgoffa o'r gwrthdaro rhwng gŵr a gwraig arall mewn llenyddiaeth Gymraeg sef gwrthdaro yn y stori gan Kate Roberts, *Buddugoliaeth Alaw Jim*. Yr un rhesymau sydd dros y gwrthdaro hwnnw – sef yn sylfaenol amgylchiadau anodd – tlodi ac yn ail agwedd y gŵr, Morgan sy'n benderfynol o wario'i arian ar ei bleser ei hun ar draul lles ei deulu, eto i gyd yn *Buddugoliaeth Alaw Jim* fe ddangosir llawer mwy o dosturi a chydymdeimlad gan y gŵr.

Mae'r darlun yn y darn hwn yn awgrymu pobl sydd heb fod yn ennill cyflog mawr gan eu bod yn gorfod byw mewn tŷ i weithwyr amaethyddol *'tŷ digon tenau ydoedd'*. Tu fewn i'r tŷ ei hun mae arwyddion gwraig yn gwneud ei gorau i ymgodymu â *'chymylau o stêm'*. Mae'r dialog o'r cychwyn cyntaf yn ymosodol gyda'r wraig yn gofyn a yw wedi dod ag wyau ac mae'r dialog yn *Buddugoliaeth Alaw Jim* hefyd yn ddialog rhwng pobl mae cydfyw â'i gilydd o dan amgylchiadau anodd wedi hen suro eu perthynas. Mae'r diwedd hefyd yn debyg gyda'r gŵr yn dianc o'r tŷ i osgoi tymer y wraig.

Y thema felly yn y ddau ddarn yw gwrthdaro rhwng gŵr a gwraig yn codi oherwydd eu tlodi. Hunanoldeb Wil gyda'i bwls a'i beint a'r gŵr arall fel petai'n addoli 'i filgi'n fwy na'i deulu. Y gwahaniaeth yw'r diweddglo. Yn *Buddugoliaeth Alaw Jim* mae Morgan yn newid ei feddwl ac yn penderfynu ceisio cymodi a rhoi arian i Ann ei wraig ond yn y darn yma mae Wil James yn dal yn styfnig a hunanol ac mae'r clep ar y drws yn symbolaidd o'i agwedd tuag at ei deulu, ond yn y stori *Buddugoliaeth Alaw Jim* mae'r machlud yn symbol o obaith ac o harddwch posibl. Mae agwedd y ddau tuag at eu gwragedd yn wahanol hefyd. Nid yw Wil yn dangos unrhyw gariad at ei blant, mae'n rhegi Sali a chyfeirio ati fel *'slwt'*. Nid yw Morgan mor amharchus o'i wraig a'i deulu.

Byddai angen cyfeirio at o leiaf ddwy ffynhonnell arall cyn ennill marciau uchel. Fe allech gyfeirio at themâu eraill megis hunanoldeb a cham-drin gwraig yn eiriol.

Ateb Gwan

Y tueddiad mewn atebion gwan yw cyfeirio at eu llyfrau gosod a chyfeirio at y gwrthdaro heb ddangos bod natur y gwrthdaro yn hollol wahanol. Cyfeirio at y gwrthdaro a wneir yn hytrach na'i ddadansoddi a'i gymharu

 YMARFER

Chwiliwch am weithiau llenyddol eraill sy'n ymdrin â themâu'r darn ac ymatebwch iddynt fel y gwnaed gyda'r stori *Buddugoliaeth Alaw Jim*.

Detholiad o Ryddiaith

1

"Cyfarfod brys, ond pam?" dyna oedd ymateb pob Cynghorydd i gais y Clerc ar i bawb ymgynnull o fewn tridiau yn y Neuadd, ac ar gais y Cadeirydd, "gohebiaeth o'r cyngor Sir parthed ymweliad pwysig," oedd yr unig beth ar yr agenda. Mawr oedd y dyfalu a mwy fu'r disgwyl am noson y cyfarfod.

"Gyfeillion, mae hwn yn newyddion cyffrous tu hwnt. Mae 'na lythyr wedi dod o Fuckingham Palace mynnai Iohannes dreiglo bob tro.

"Buckingham Palace!"Roedd eco'r ddeuair i'w clywed yn diasbedain hyd y waliau.

"Well i mi gywiro fy hun… mae 'na lythyr wedi dod o Fuckingham Palace drwy'r cyngor Sir. Byrdwn y llythyr ydi bod y Prins ei hun yn dod i Benbuwch."

"Gynghorwyr! Ga i erfyn am dawelwch! Fel y gwyddoch chi fi ydi Is-gadeirydd Pwyllgor Hamdden a Thwristiaeth ac ma gen i rywfaint o wybodaeth ychwanegol am hyn. Rŵan y tebygrwydd ydi mai yma ym Mhenbuwch y bydd y Tywysog yn gwneud ei araith gynta ar ôl cael cinio yn y Seiont Hotel a'r sibrydion ydi, mai o'r tu allan i'r Neuadd yma y bydd o'n cyhoeddi penodi'i fab fenga," pwysleisiodd y geiriau eto "… ei fab fenga, yn Dywysog newydd Cymru."

"Mister Khadeirith!" roedd y Cynghorydd Higgingbotham ar ei draed. "Rydhw hee yn hawgrhumee ein bhod ne'n gadael uh thlytheer hwn ar y boorth. Gwneud een deem ah fo.."

"Cywilydd! Gwarthus! Blydi Ripyblican…"

"Gyfeillion!"

Distawodd pob sŵn.

"Rydw i wedi cael cynnig" dechreuodd Iohannes ac ail ddechreuodd y baban glebran. Cododd Iohannes Pescado ei lais. "MAE GEN I GYNNIG! Oes yna eilydd?"

Gellid clywed pin yn disgyn.

"Eilio!" gwaeddodd Gethin Cayo. "A mwy na hynny, geith y cwd bach neud i sbîtsh yn rhywla arall!"

Oni bai am allu diarhebol Gethin Cayo gyda'i ddyrnau, diau y byddai sawl un wedi ceisio rhuthro amdano am ddweud y fath beth cableddus, ond un peth oedd croesi cleddyfau geiriol hefo Gethin, peth arall oedd ei herio'n gorfforol. Penderfynodd Iohannes anwybyddu'r sylw.

"Mae gen i gynigydd ac mae gen i eilydd. Pawb o blaid y cynnig i ddangos?"

Er i Gethin Cayo rythu'n ddig o un wyneb i'r llall, dwy law yn unig godwyd – un Higgingbotham a'i un yntau.

Gwenodd Iohannes ar Smith Higgingborham ac ysgydwodd ei ben.

"Fel roeddwn i'n deud, gan mai fama bydd y stop cynta ar ôl ei ginio mae'n ddyletswydd arnon ni i… i… sut fedra i ddweud hyn, wel, ella mai yma y bydd o isho Ymmm dach chi'n gw'bod… isho oedi, torri'i siwrnai…"

"Isho gwagio'i hanbag ti'n feddwl!" gwaeddodd Gethin.

"Isho mynd i'r tŷ bach!" cawsai Iohannes weledigaeth. Edrychodd ar yr wynebau syn o'i flaen. "Dyna ydi'r mater gerbron." Dal i edrych yn syn wnâi'r wynebau.

"Beth ydek chee'n diskooil i knee wneuhd Mister Chadeirith?"

"Mae 'na brotocol, rheola i'w dilyn, trefn ynglŷn â'r petha ma.

"Fel be?"

Carthodd Johannes ei wddw unwaith eto. Doedd hyn ddim yn mynd i fod yn hawdd. Edrychodd ar y llythyr o'i flaen. "Ma'r Lord Lefftenant wedi rhoi rhestr i ni."

"Darllan hi ta!"

Darllenodd Iohannes o'r llythyr.

"Toiledau Brenhinol. Hwnna ydi'r pennawd. Un. Dylai'r stafell fesur o leia pam troedfedd sgwâr gyda thymheredd yr ystafell i fod yn 18 digri sentigred.

"Arclwy! Ma' hynna run seis â'n lownj i!" chwyrnodd Gethin Cayo. "Ac yn gnesach. Fydd hi fel piso mewn tŷ gwydr!"

Cododd Ifan Saer ar ei draed. Aeth i'w bocad ben-glin ac estyn ei lathan bren blygedig.

"Sgiws mi Mistar Cadeirydd," meddai ac aeth allan. Gwenodd Iohannes arno gan ddiolch bod yna o leia un… Roedd Ifan ar ei ffordd i fesur y toiledau. Ymhen ychydig funudau daeth yn ei ôl.

"Ffôr ffwt thri, bai thri ffwt ilefn," meddai, gan ddarllen o'i lyfr nodiadau. "Toilets merchaid yn ffôr sics bai ffôr tw."

Fel yn yr Aifft gynt, torrodd distawrwydd y gellid ei deimlo dros yr ystafell.

"Fedrwn ni heirio portaloos fel y Steddfod Genedlaethol?"

"Ma rheini'n sglyfaethus!"

"Geith o iwsho toilets yr anabal." meddai Gethin Cayo yn goeglyd cyn ychwanegu, "rhaid ma'r broblem ydi'i glustia fo!"

Penderfynu defnyddio ychydig o ras ymataliol wnaeth Iohannes.

"Dan ni'n sôn am Aer y Goron. Darpar Frenin y wlad."

"Pa frenin a pha wlad?"

Roedd llygaid Iohannes Pescado yn melltennu i gyfeiriad Gethin Cayo, ond roedd llygaid hwnnw'r un mor ddi-syfl yn rhythu'n ôl. Y cadeirydd ildiodd. A Gethin Cayo siaradodd nesa hefyd. Ac roedd ei eiriau'n her i awdurdod y Cadeirydd.

"Dan ni'n mynd i dalu am stabal a bêl o wellt i'r Camilla ma hefyd?"[14]

2

Dros y dyddiau dilynol, yn ôl a blaen o'r Brifysgol, synhwyrai Aled yr anniddigrwydd mewn siop a thafarn. Heidiau o'r arddegau yn loetran yn fygythiol ar gorneli'r strydoedd. Dicter yn mudlosgi fel cowlas o wair yn gordwymo. Aflonyddwch yr heddlu wrth geisio crisialu a chorlannu dicter ffrwydrol yr ieuenctid.

Yn ei ystafell, wrth smocio canabis yng nghwmni anwadal Barry, teimlai Aled nad oedd Seland Newydd and breuddwyd; yma yn Toxteth yr oedd y rialiti. Cefnogi'r difreintiedig. Drwy'r mwg gwelai'r wawr newydd yn torri..

Nos Iau ffrwydrodd Toxteth. Y cyfrifol a'r ofnus yn diflannu fel llygad i'r sgyrtin, y dichellgar a'r dialgar yn llithro'n gyflym i'r gwyll. Malwyd y ffenestr gyntaf a thincial melodaidd y gwydr yn Lodge Lane yn cyhoeddi rhyfel. Cyn cychwyn allan, heb wybod i ble, tynnodd Aled a Barry yn ddwfn ar sigarét. Pob gewyn yn crynu, nerfau'n corddi a chorwynt o gasineb yn eu hyrddio yn orffwyll yn erbyn yr heddlu. Difa'r radio, malu'r tariannau plastig, a thorri ffenestri wrth ruthro i unlle.

"I'w ben o – bricsen,- neidia ar eu traed nhw – cic yn ei fol o – i lawr â fo, cymer hwnne y seiffar brwnt," a'i sathru i'r palmant gyda chynddaredd teigr. Gwaed ar y stryd yn tanio eu gorfoledd, cŵn Annwn yn llarpio yr ysglyfaeth. Gwraig mewn côt ffwr yn cario set deledu a ffenestr siop. Aled yn synnu bod Tesco yn agored mor hwyr, nes sylweddoli mai ysbeilwyr oedd yn clirio'r silffoedd.

Torf wallgof yn rhwystro'r frigâd dân rhag diffodd tân mewn cartref henoed. Dim sloganau bellach, dim ond chwalu mewn distawrwydd oer. Plisman ar dân yn rhuthro i safn y gelyn yn ei orffwylledd, a'i ddyrnu i'r llawr gyda mileindra ci yn ysgwyd llygoden.

Pasio dau hogyn deg oed yn gwthio beic newydd. Neb yn cymryd sylw. Neb yn poeni sut yr eid ag ef i'r chweched llawr. Dwy ferch yn ymladd dros un pâr o esgidiau ffansi yng nghanol tomen o rai newydd. Nain rhywun yn glynu'n falch o dynn mewn pecyn mawr o gydau te. Mewn rhyfel yr oedd blaenoriaethau.

Sleifiodd Aled a Barry drwy'r cefnau i stryd arall. Yr oedd Barry yn feddw dan ddylanwad y cyffur. Yn afreolus a swnllyd, gwaeddodd am y poteli.

"Ffordd hyn," llais nerfus o'r tywyllwch, "i lawr y jiger." Dychwelyd gyda chlwstwr prydferth o fomiau petrol. Cuddio ar y gornel yn ddisgwylgar. Eu cyrff yn drewi o chwys nerfusrwydd a mwg o'r tanau. Lluchio cerrig i ddiffodd lampau'r stryd. Fe ddeuent toc. 'Roedd y terfysgwyr yn araf luchio'r heddlu'n ôl dan bwysau eu ffyrnigrwydd.

Ffiws ym mhob potel. Cloc eglwys. Cloc eglwys yn taro tri o'r gloch. Haid o golomennod yn cilio o'u hen gartref yn y tŵr. Matsien yn barod yn llaw Aled; y botel gan Barry. Pensiynwyr yn swatio yn anghrediniol yn nhywyllwch bygythiol y cartref henoed.

"Dacw nhw, y fuzz diawl," neidiodd gydag asbri pêl -droediwr newydd gicio ei gôl gyntaf. "Tania'r ffiws, Aled."

Anelu'n wyllt, a rhoi cyrtens cartre'r henoed ar dân. Anelu eilwaith a gwylio'r botel yn ffrwydro yng nghefn y rhes las.

"Maen nhw wedi'n gweld ni. Brysia, potel arall." Tanio, lluchio, sgrechian, "dowch y diawled,- uffern dân!" yn gwbl anystyriol.

Cyfle'r heddlu. Eu cyfle hwy i ddial. Rhuthro yn dwr sgwarog, trymion ar ôl yr hogiau.

Ond mewn munudau yr oeddynt wedi diflannu'n igam-ogam i lawr y strydoedd cyfarwydd. Rhedeg nes aros yn ddianadl ar bwys mur eglwys.

"Mi awn yn ôl, fe gawn chwaneg o boteli."

"Dim peryg, fe gollwn y lwc tro nesaf. Fe awn i dy pad di, Barry."

Llusgodd Aled ef yn hanner meddw i fudreddi'r ystafell. Yn ei gynddaredd, cipiodd Barry un a'r colomennod a dechreuad ei phluo'n fyw. Chwydodd Aled yn swnllyd ar y llawr. [25]

3

'Isio bod yn ffarmwr, ia?' gwaeddodd Ifor. Roedd sŵn tractors wedi difetha ei glyw ers blynyddoedd.

'Gynny fi ddim choice. Fa'ma neu Libfafi,' atebodd Malcym wrth dynnu ar ei sigarét yn cŵl.

Ond doedd Ifor ddim wedi aros i ddisgw'l am atab Malcym. Roedd o wedi diflannu i rwla, yn mwydro rwbath am droi rhyw feheryn at ryw ddefaid, doshio rhyw giât, weldio rhyw fuwch, injectio rhyw dractor a thrwshio rhyw oen.

Parciodd Malcym ei foped yn ymyl car rhydlyd Ifor, yn y garej, a gorffan ei smoc. Yr unig beth yr oedd o'n ei licio am gynllunia YTS oedd y teithio. Edrychodd arno'i hun yng ngwydr y beic. Roedd y fodrwy yn ei glust yn edrach yn tyff! Yna edrychodd ar ei bymps newydd. Stwmpiodd ei smoc rhwng ei bympsan a'r concrit a cherddodd yn hamddenol at y cwt y diflannodd Ifor i mewn iddo.

Erbyn i Ifor gyrra'dd yr iard, roedd o fel tae o wedi chwythu ei stem i gyd. Cofiodd eiria ei wraig: 'Paid â gweiddi arno fo dwrnod cynta, Ifor…

'Lle ma' dy welintons di?' gwaeddodd Ifor.

Roedd o wedi anghofio sut oedd siarad heb weiddi!

'O, fi'n mynd i ca'l rhei gin Santa Clos,'atebodd Malcym.

Ar ei ben ei hun ac iddo'i hun yr oedd Ifor wedi gweithio ers pum mlynadd ar hugain. Dyna oedd yn egluro pam yr oedd o'n wyllt, yn flêr, yn anghwrtais ac yn teimlo ei fod o mewn rhyw frwydr barhaus hefo anifeiliaid, tir, tywydd a phobol.

'Mi fydd lorri yma… hannar awr 'di deg… Bustych i mart.' mwmbliodd Ifor.

'O cyn fi anghofio, Mf. Huws. Ceith fi bwcio holides fi fwan?'

Ond roedd Ifor wrthi'n agor rhyw giatia yn y gorlan ac yn clymu rhai er'ill hefo llinyn bêl.

Stwmpiodd Malcym ei smoc yn bwdlyd.

'Patant newydd sbon i ddal gwarthaig, yli. 'Broliodd Ifor wrth agor y Crysh glas, newydd yn barod i ddal penna'r bustych. 'Penna nhw'n sownd inni ga'l codi nymbrs 'u clustia nhw.' ychwanegodd wedyn.

Ond doedd Malcym ddim yn dallt. Pregethodd Ifor am rinweddau'r Crysh newydd am ddeg munud solat, er mai heddiw fyddai'r tro cynta' iddo fo ei ddefnyddio. Roedd Ifor wedi darllan ac ystyried yn hir cyn ei brynu. Ond doedd dim dwywaith, petai ond am ei olwg o, roedd o'n curo'r hen un yn rhacs! Roedd llwyddo i ddal pen anifail pedair coes yn yr hen un yn dibynnu'n llwyr ar amseriad y dyn a oedd yn tynnu'r rhaff ac yn wardio o'r golwg ar ei gwrcwd. Ond hefo'r un newydd, y bustach ei hun oedd yn cloi'r giât ar ei wddw wrth ei gwthio ymlaen hefo'i sgwydda. Roedd y Crysh yn mynd i fod yn fendith i ddal anifeiliaid anystywallt, a fedrai Ifor ddim disgwyl i'w weld o'n gweithio!

Brasgamodd Ifor trwy'r baw yn yr adwy i'r cae, a sbonciodd Malcym o garreg i garreg ar ei ôl, yn ei bymps.

'Be ydi bustych, Mf. Huws?' gofynnodd Malcym.

'Gel di weld!' ebychodd Ifor.

Cerddodd y ddau ar draws y cae cynta. Yn yr ail gae yr oedd y bustych.

'Pfyd ceith fi ddfeifio tfactof, Mf. Huws?' gofynnodd Malcym wedyn.

Landrovers, ffarmwrs mewn body-warmers, het mynd-a-dwad a welintons glân . . . Oll ar dudalenna'r Farmers Weekly. A gyda'i feddwl ar ddarlunia o'r fath yr oedd Malcym pan roddodd flaen ei droed mewn cachu buwch!

Cerddodd Ifor a Malcym i'r ail gae. Gorchmynnwyd yr ast i orwadd yn fflat fel crocodeil ar ryw le o strategol bwys yn y cae cynta. Toc cafodd Malcym ynta ei orchymyn. Roedd o i sefyll heb fod nepell o'r adwy yn yr ail gae, heb symud blewyn. Beth oedd diban cael gast yn gorwadd ar y cae a phawb arall yn gorfod cerdded? Roedd hynny'n bysl i Malcym. Peth arall a'i poenai (ond nid yn fawr iawn) oedd bod Ifor yn mynd i hel deg bustach o'r caea i'r gorlan er mai dim ond pump oedd i fynd i'r sêl. 'Fyddai ddim yn well i'r pump arall aros yn y cae i ga'l bwyta mwy a mynd yn dew? Roeddan nhw'n edrach yn ddigon bychan ym mhen draw'r cae. Ond pan drodd Malcym ei ben yn ôl y funud wedyn, roedd cant a hannar o fustych gwyllt yn rhedag tuag ato ar rheiny'n mynd yn fwy ac yn fwy wrth nesáu! Roeddan nhw'n pyncio eu penna a'u coesa, a'u llygaid yn fflachio'n wyllt. Roeddan nhw'n mynd i'w LADD o!!

'Shwwwwwwwwwwŵ!' sgrechiodd Malcym o flaen y deg bustach cyn sglefrio am ddihangfa yn ei bymps.[26]

Mynegai i'r dyfyniadau